JUMP COMICS

DRAGON BALL

ドラゴンボール

巻《かん》三　天《てん》下《か》一《いち》武《ぶ》道《どう》会《かい》はじまる!!

鳥山　明

登《とう》場《じょう》人《じん》物《ぶつ》紹《しょう》介《かい》

前巻《ぜんかん》までのあらすじ

むかしむかしのこと。ある山奥《やまおく》に住《す》む強《つよ》くて無邪気《むじゃき》な男《おとこ》の子《こ》、孫悟空《そんごくう》は、ドラゴンボールをさがして旅《たび》するブルマに出《で》会《あ》った。ドラゴンボールとは、七つそろうと神龍《シエンロン》が現《あらわ》れ、願《ねが》いをひとつだけかなえてくれるという不思議《ふしぎ》な球《ボール》だ。

球《ボール》のある場所《ばしょ》が示《しめ》されるドラゴンレーダーを頼《たよ》りにふたりの大冒険《だいぼうけん》が始《はじ》まった。

いろんな人《ひと》やハプニングにあいながらも、なんとかすべての球《ボール》が集《あつ》まり、神龍《シエンロン》が現《あらわ》れた……のだが、神龍《シエンロン》は、ギャルのパンティ一枚《まい》を残《のこ》し、再《ふたた》び飛《と》びちってしまった(詳《くわ》しくは、前《まえ》の二巻《かん》を読《よ》もう!)。

仕方《しかた》なく悟空《ごくう》はひとり、メチャクチャ強《つよ》い亀仙人《かめせんにん》のもとへ修業《しゅぎょう》に向《む》かう…!

DRAGON《ドラゴン》 BALL《ボール》 3

天下一武道会《てんかいちぶどうかい》はじまる!!

ドラゴンボール

DRAGON BALL

其之《その》二十五　ライバル？参上《さんじょう》!!

ぴちぴちギャルを　つれてきたら修業《しゅぎょう》をさせてやるぞ!!と亀仙人《かめせんにん》にいわれた悟空《ごくう》が　さっそく　つれてきたのは　まるで仏滅《ぶつめつ》のような　ギャルであった…………………………さて……
KAME HOUSE
おまえのギャルをみる目《め》のなさにはあきれたもんじゃのう！
そうかなあ…
どれテストしてみよう…
ほれ！
どっちがかっこいいギャルだっ!?

う〜ん…むずかしいなあ…
こんなのでなやむなよ…………
こういうのをつれてくるんじゃ!! こういうのを!!
ふーーーんよくわからんけどそういうのがいいんだな？
よしっ!! いってくるぞ!!
不安《ふあん》なやつ…
またへんなのをつれてくるとマズイからかくれていよっと!!

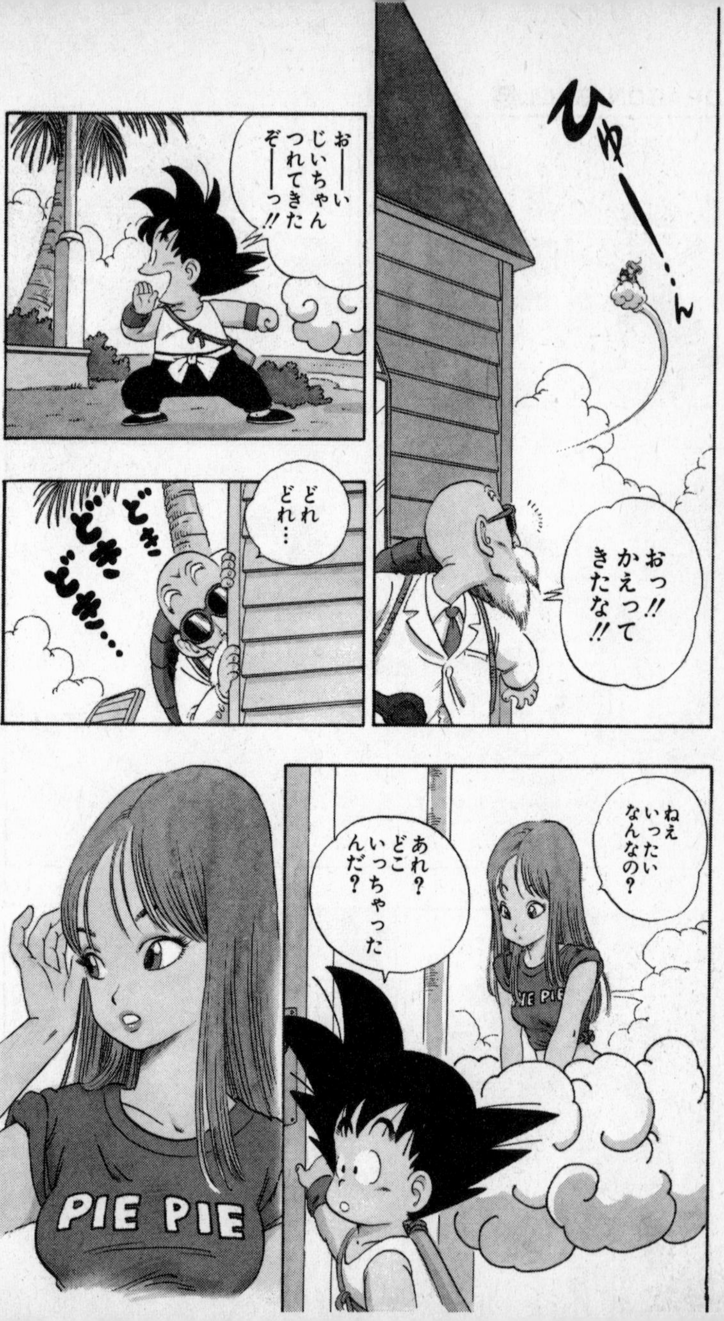

ひゅーーー…ん
おっ!! かえってきたな!!
おーーい じいちゃん つれてきたぞーーっ!!
どれどれ…
どきどきどき…
ねえ いったい なんなの?
あれ? どこ いっちゃったんだ?
PIE PIE

やった!!!
悟空《ごくう》 悟空《ごくう》
あ
なんだ じいちゃん こんなとこに いたのか
おみごとっ!! やるじゃないか!! にくいぞ こいつ———っ!!
修業《しゅぎょう》 おしえて くれるか!?
よ よし!! いいだろう!
では さっそく 修業《しゅぎょう》を はじめるぞ!!

あの ギャルの パ…パパ… パンチーを もらってこいっ!!
そ それが いちばん さいしょの 修業《しゅぎょう》じゃっ!!
ぱんちい?
ぱんちい って なんだ?
い いえば わかる!
ねえ ねえ あのさあ………
どきどき どきどき
じいちゃん
あっ このやろう! なんにも もっとらんじゃないかっ
じいちゃん シャツって しってるか?
それが どうした!!
あいつ シャツ1枚《まい》 だけで ぱんちいと いうのは はいてないとさ

い いかん
想像《そうぞう》したただけでつい…
どうする？
しょ しょうがない わ わしがお手本《てほん》を………!!
な なにげないふりをしてギャルに語《かた》りかけじ…じっくりとは…はは…拝見《はいけん》させていただこう!!
ふん ふん
さいわいサングラスじゃ！目《め》の動《うご》きはさとられん!!
は…はぁ〜い!!
どき どき どき
と…とてもグッドなお天気《てんき》ですね
はぁい

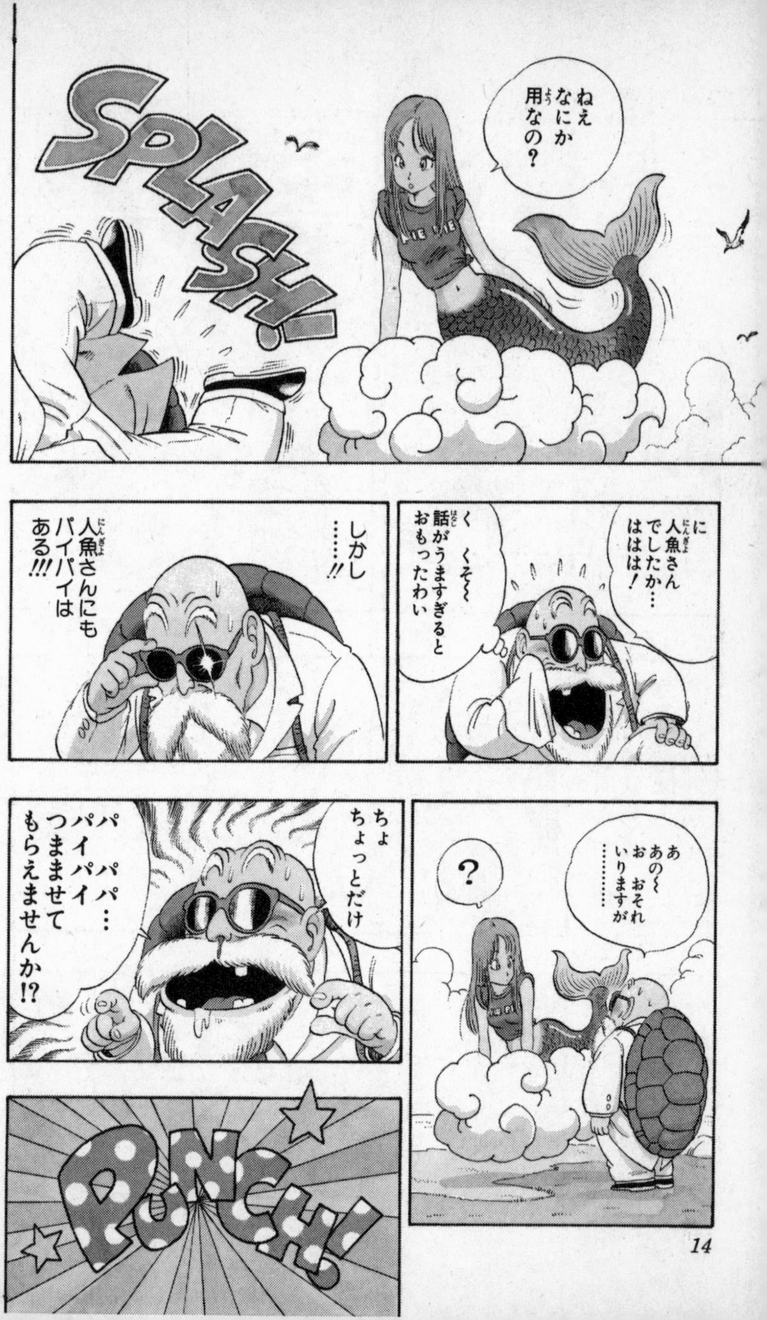
SPLASH!
ねえ なにか 用《よう》なの？
に 人魚《にんぎょ》さんでしたか… ははは！
く くそ～ 話《はなし》がうますぎると おもったわい
しかし……!!
人魚《にんぎょ》さんにも パイパイは ある!!!
あ あの～ お おそれいりますが………
？
ちょ ちょっとだけ
パ パパ… パイパイ つまませて もらえませんか!?
PUNCH!

ばしゃん
………
なんだ!! ぱんちいって パンチのことかーっ!!
ま…まあな……
敵《てき》に勝《か》つには まず 打《う》たれ強《づよ》く なければいかん!! パンチを もらって きたえるんじゃ!
さすがっ!!
悟空《ごくう》よ もういちど ぴちぴちギャルを つれてくるんじゃ!
えーーっ またつれて くるのか?
こんどは 下半身《かはんしん》が 魚《さかな》じゃ ないやつをな
いった はずじゃ!!
わしの 修業《しゅぎょう》は きびしいと!!
うん! わかった

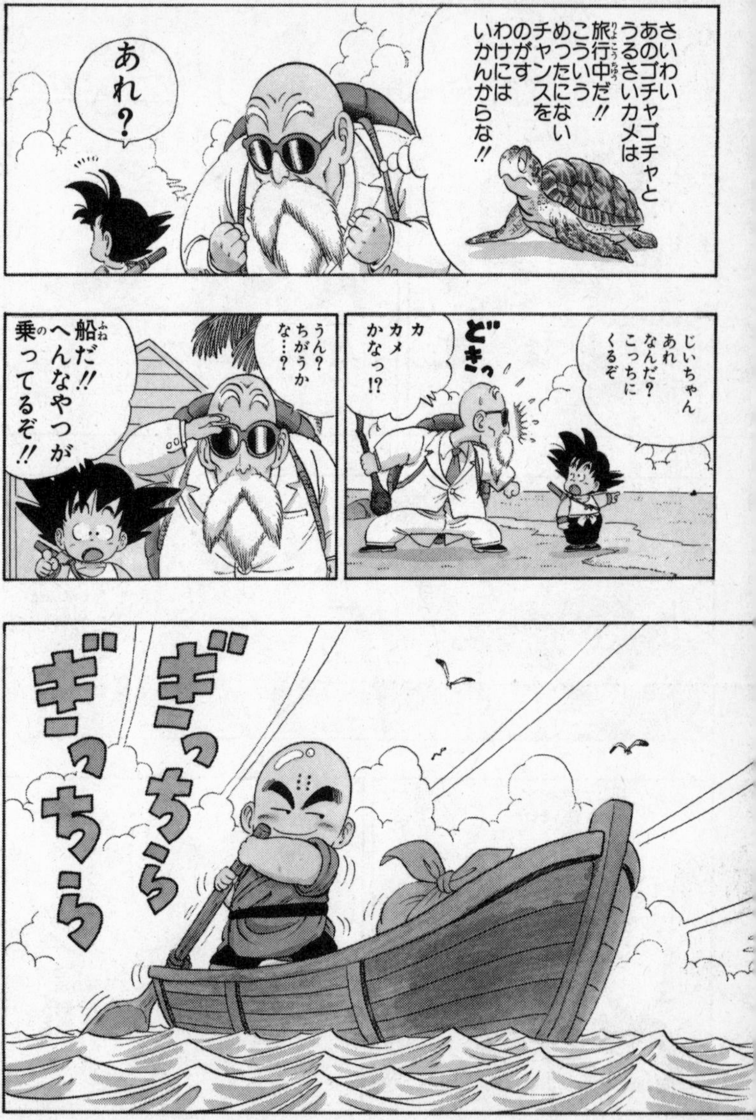
さいわい あのゴチャゴチャとうるさいカメは旅行中《りょこうちゅう》だ!! こういうめったにないチャンスをのがすわけにはいかんからな!!
あれ？
じいちゃん あれ なんだ？ こっちに くるぞ
どきっ
カ カメ かなっ!?
うん？ ちがうかな…？
船《ふね》だ!! へんなやつが乗《の》ってるぞ!!
ぎっちら
ぎっちら

トン…
KAME HOUSE
?
は──っ!!
ばほっ
……なんじゃこいつ…
悟空《ごくう》だしてやれ
ばた ばた ばたっ
うーん うーん!!
…?

ほりゃ
すぽっ
コ
コホン…
ぱん
ぱん
ぱん
ぱん
どうも……
あなたが武天老師《むてんろうし》さまですねっ!?
いかにもそうじゃが
わたくしはるばる東《ひがし》の村《むら》からやってまいりましたクリリンともうします!!
ぜひ武天老師《むてんろうし》さまのもとで修業《しゅぎょう》をさせてくださいませっ!!
ほう
それはごくろうじゃったのう
しかしざんねんながらわしはめったなことでは弟子《でし》はとらんのじゃがあきらめろ
この本《ほん》はほんのごあいさつがわりですが
……かんがえてみよう

ほ…
ほほう…
これは…
気《き》にいっていただけましたか？
………ところできみはなんだ？弟子《でし》なのか？
うん!! オラ孫悟空《そんごくう》だ!!
ふ〜ん
じろじろ
武道《ぶどう》をやるとはおもえないがね…
オラブドウはすきだ！
ふふふん いまのはシャレたつもりかな？
はは…おまえのアタマパチンコの玉《たま》みたいだな！
なにをいうかっ!! 武道《ぶどう》を志《こころざ》す者《もの》はアタマをまるめて気《き》をひきしめるものだっ!!
みろっ武天老師《むてんろうし》さまだって!!
わしはただのハゲじゃ…
………
………

ところでクリリンじゃったかな？
ははっ!!
わしの　もとで修業《しゅぎょう》を　するには条件《じょうけん》としてぴちぴちギャルをつれてきてもらわねばならんのだが…
わ　わしの好《この》みがわかるかな？
……………でございましょ？
ぼそぼそ…
ふんっ
ふんっ
や　やるなーっ!!わかっとるじゃないか!!
おほめにあずかりまして！
よし!!では　さっそく悟空《ごくう》とともに筋斗雲《きんとうん》でさがしてくるのじゃ!!
のれよクリリン！
きんとうん…？
く　雲《くも》にのれるのか？
きもちいいぞ——っ！

なるほど
ピョン
わっ!!
どてっ
な なんだ!? つきぬけて しまったぞ!?
むむっ!! その雲《くも》は 清《きよ》い心《こころ》で ないと のることが できんのじゃ ぞ!
さては おぬし 不純《ふじゅん》な動機《どうき》で 修業《しゅぎょう》に きたな!?
そ そんな!! わたしは ただ 武術《ぶじゅつ》に強《つよ》くなって 女《おんな》の子《こ》に モテたいと…!!
それが 不純《ふじゅん》て いうんだよね…
あらたに 弟子《でし》入りを 希望《きぼう》してきた クリリン… はたして このさき ふたりは…?

次《つぎ》は、其之《その》二十六　？《ふしぎ》な女《おんな》の子《こ》

ぴちぴちギャルを
つれてこなければ
亀仙人《かめせんにん》の弟子《でし》には
してもらえない
悟空《ごくう》とクリリンは
觔斗雲《きんとうん》を駆《か》り
女《おんな》の子《こ》さがしに
出発《しゅっぱつ》した！
ひゅ――ん
ここ
あんまり
人《ひと》が
いねえな
こら――っ!!
もっと
低《ひく》いところを
とべよっ!!

ボクは おまえに しがみついて いないと 落下《らっか》してしまう んだぞっ!!
わるいこと 考《かんが》えてるから 筋斗雲《きんとうん》に のれないんだよ
なっ なんだ とっ!!
お!
おいクリリン! あいつどうだ!? じいちゃん 気《き》にいるかな!!
え!?
どこだ どこだ!?
バカか おまえは!! あれは 男《おとこ》じゃない かっ!!
へーーっ おまえ みただけで 男《おとこ》か女《おんな》か わかるのかっ!!
………
すげえな!!

じょ じょうだんだろ? おまえ わからないのか?
しゅーっ
チンチンが あるかないか さわってみれば わかるぞ
いっておくが ボクは 男《おとこ》だからな……
……
よし
フォン
フォン
フォン
バビビビ….!!
タタタタ…ン
タタタタ….

フォン
フォン
タタタタ……
ちっ!!
おとなしく止《と》まれ——っ!!!
止《と》まらんと撃《う》つぞ——っ!!!
バンバンッ
もう撃《う》っとるけど
タタタ…

ピッ
ドカーン
わっ!!
ポーン
ケケケ
こっ このやろーっ!!

あっ!!
ズビビビビ
ぼうっ
あっちだ!!
ギュン
どんっ
いたぞっ!!
タタタッン
バビビビ…!!

カチャ
ジャコン
わっ!!
さっ
ニヤリ

むずむず
まっまずいっ!!
は!…は…
はっくしょい
きゃーっ!!
ぜんぜん人《ひと》がいなくなっちゃった
あたりまえだ!! こんなとこにいるわけないだろ! もどれよ

ラ ランチ!! 逮捕《たいほ》するぞ!! お おとなしくしろ!! 変《へん》なマネするなよ!!
う うごくと撃《う》つぞ!!
だ だれですか!? あなたたち
な なにをするの…!?

なにがだれですかだ!!しらじらしいことを…!! け警察《けいさつ》にきまっているだろ!!
わわたしがなにをしたっていうんですか!?
カチャ
ははやく逮捕《たいほ》してつれていこう!!
きゃ――っ だれか助《たす》けて――っ!!
おん?
いいま助《たす》けて…ってきこえたよな…
あそこだ!
げげっ!! 女《おんな》の子《こ》がおそわれてるぞっ!!
STURGIS

ああいうのって助《たす》けたほうがいいのか？
そ　そりゃ助《たす》けてやったほうがかっこいいのだが…
わ　われわれのウデではまだ…あいつら鉄砲《てっぽう》ももっているしな…さわらぬ神《かみ》にたたりなしだ
助《たす》けたほうがいいんなら助《たす》けよう!!
ぐおーーっ
うわーーっ!!よっよせっ!!
なっなんだっ!?
ひゅん
わーーっ!!

とん
なっ!?
なんだ!? おまえはっ!!
その女《おんな》の子《こ》を助《たす》けにきた!
さささ〜〜っ
あ あらかじめいっておきますが
ボクはいっさいカンケイありませんから!
このことはそいつの独断《どくだん》で!!
なにが助《たす》けにきただ!!
子供《こども》だからといってジャマするとおまえたちも逮捕《たいほ》するぞ!!

ほっ!
ぱしっ
がんっ
ぐっ
どさ
ばばっ
こっ
こいつっ!!
ゴン
バン

ポカーン
どさ…
なんだ よわい やつらだな
あ ありがとう ございます!! なんて お礼《れい》を いったらいいのか……!!
いや いや これしきの ことで!
はっはっは
なあ クリリン! こいつなら じいちゃん オーケー かな!?
とても いいんじゃ ないかな
へへへ…
あの… どちらへ?
悟空《ごくう》とクリリンの みつけた女《おんな》の子《こ》 クシャミひとつで コロッと人《ひと》が 変《か》わってしまった! さて この ランチという 娘《むすめ》さんは……!?
ひゅーーん

次《つぎ》は、其之《その》二十七 ランチのクシャミ

ねえねえ　どこに　いくって？
亀仙人《かめせんにん》の　じいちゃん家《ち》　だ！
……♪
悟空《ごくう》とクリリンは　男《おとこ》たちに　おそわれそうに　なっていた　ランチという　娘《むすめ》を救《すく》い　これを幸《さいわ》いと　ぴちぴちギャルを　まっている　亀仙人《かめせんにん》のもとに　つれていくことに　なった…
ひゅ——…ん
あれだよ　あれ！

まあ!! なかなかステキなところじゃない!!
へっへっへ お気《き》にめされましたか?
おーーい!! じいちゃーん!! ぴちぴちギャルというのをつれてきたぞーーい!!
どうしたんだろ 返事《へんじ》がないな
お手洗《てあら》いにでもいっておられるのではないかな?
なんだ? オテアライって
お便所《べんじょ》のことだよ 便所《べんじょ》…!
なーんだ くそしてんのか!
はやくしろっていってくるな!

おーい　じいちゃん　便所《べんじょ》かーっ!?
……
ははは…！　すいませんね　どうも…！　下品《げひん》なやつでして…
でも　どうして　わたしが　ここへ？　なにか　用《よう》なのかしら
いえ　とくに用《よう》はない　みたいですね　ただ　しばらく　ここに　いて　いただければ　いいんじゃ　ないですか
なにしろ　男《おとこ》ばかりで　はなやかさに　欠《か》けてますから！
まあ！　それなら　わたしも　たすかるわ!!
追《お》われて　いるの！
追《お》われて…？　そういえば　警察《けいさつ》のような　かっこうをした　やつらに　おそわれてましたね！
なにもの　なんですか？　あいつら
警察《けいさつ》よ　ホンモノの！
へ？

じいちゃん まだか――!? 女《おんな》の子《こ》 つれてきたんだぞ――!!
も もう おしまいじゃっ!! まっとれ!!
ズゴゴゴゴッ
バ バカタレッ!! でかい声《こえ》だすなよ かっこわるいじゃないかっ!!
くせえ
な なんで警察《けいさつ》に追《お》われてるんですか?
ん～… バッグに大金《たいきん》がはいっているところをみると
また銀行強盗《ぎんこうごうとう》でもやったのかしら
こんどこそまともなぴちぴちギャルだろな!!
クリリンがいいといったんだからいいんじゃないかな
どれ…
それとも列車強盗《れっしゃごうとう》…
ひやひや～ ジョーダンきついすよ～! あなたがそんなことできるわけないじゃないですかーっ!
まったく
おカネもちのおじょーさまなんでしょ?

あなたたちも気《き》をつけたほうがいいわ
わたし…
クシャミをすると…
ぷり
コロッと性格《せいかく》が…
ぴち

ええのーっ!!!
ひえっ!?
でかしたぞ おまえたちっ!!!
あー ビックリ した
あれなら いいか?
武天老師《むてんろうし》さま ただいま かえりました!
へっへっへ どうです? カオは ちょっと こどもっぽいところも ありますが カラダのほうは けっこう プリプリと…
うむ! うむ!
よ よし!!
ふたりとも わしの 弟子《でし》入りを みとめるぞえ!!

いや―― どうも どうも ようこそ いらっしゃい!!
はじめまして! わたしランチと いいます おマゴさんには あぶないところを 助《たす》けていただいて!
ほほう こいつらが あなたを
いや〜 なんの なんの
ええ! ありがとう ございました!!
それは それは
ただし こいつらは わしのマゴでは ありませんぞ
ボクの 弟《おとうと》たちです
ドテッ
ガンッ

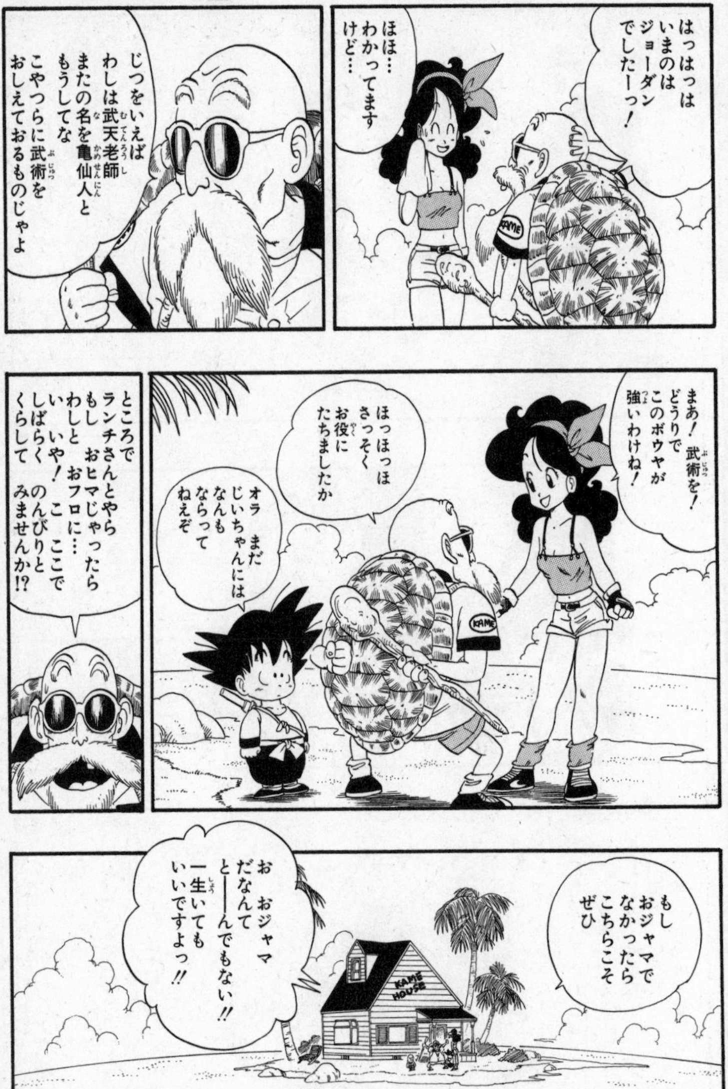
はっはっは いまのは ジョーダン でしたーっ！
ほほ… わかってます けど…
じつをいえば わしは武天老師《むてんろうし》 またの名を亀仙人《かめせんにん》と もうしてな こやつらに武術《ぶじゅつ》を おしえておるものじゃよ
まあ！ 武術《ぶじゅつ》を！ どうりで このボウヤが 強《つよ》いわけね！
ほっほっほ さっそく お役《やく》に たちましたか
オラ まだ じいちゃんには なんも ならって ねえぞ
ところで ランチさんとやら もし おヒマじゃったら わしと おフロに… い いや！ こ ここで しばらく のんびりと くらして みませんか!?
もし おジャマで なかったら こちらこそ ぜひ
お おジャマ だなんて と――んでもない!! 一生《しょう》いても いいですよっ!!

ヘイヘイイッ!!
やったやった!!
ウキウキするぜいっ!!
きゃほきゃほーっ!!
ポカーーン
……
ところでどうかな?
あんたも武術《ぶじゅつ》を習《なら》ってみんかな?
ハア
ハア
え? わたしがですか?
おもしろそうだけど
女《おんな》のわたしにはついていけそうにもないわ
いや いや
なにも本格的《ほんかくてき》にやってみなさいというわけではない
ほんの かるい気持《きも》ちで よいのじゃ
心身《しんしん》の健康《けんこう》のため
そしてまた美容《びよう》のためにも けっして
ムダにはならんぞい!

あなたは　ものすごい幸運《こううん》なのですよ!この武天老師《むてんろうし》さまは武術会《ぶじゅつかい》では知《し》らぬ者《もの》なし!はっきりいって世界《せかい》一!!そのおかた自《みず》らおすすめくださるとは!!
まあ!!そんなおかただとは!
いや〜たいしたことあるけど…
てれちゃうなへへへ….
はやく修業《しゅぎょう》やってよ!
おまえいいやつだな
おほめにあずかりまして
では　さっそくこのユニフォームに着《き》がえなさい
はい!
ユニフォーム?
うひょっ!!ここで着《き》がえるんですかっ!!
ごくん….
そうね!家《いえ》の中《なか》で着《き》てきます!
い…いらんことを…おまえ故郷《くに》にかえるか?….
すすいましぇん…

あの～
これ下着《したぎ》みたいなんですけど…
いやいや これが わが亀仙流《かめせんりゅう》の胴着《どうぎ》なのじゃ
…うそばっかり…
わかいムスメはええの～
ではでは さっそく稽古《けいこ》にかかるぞ!!
ぶ～～ん
ぶぶ～～ん
ええい!
しっしっ
うるさいアブじゃの!!
ぶーん

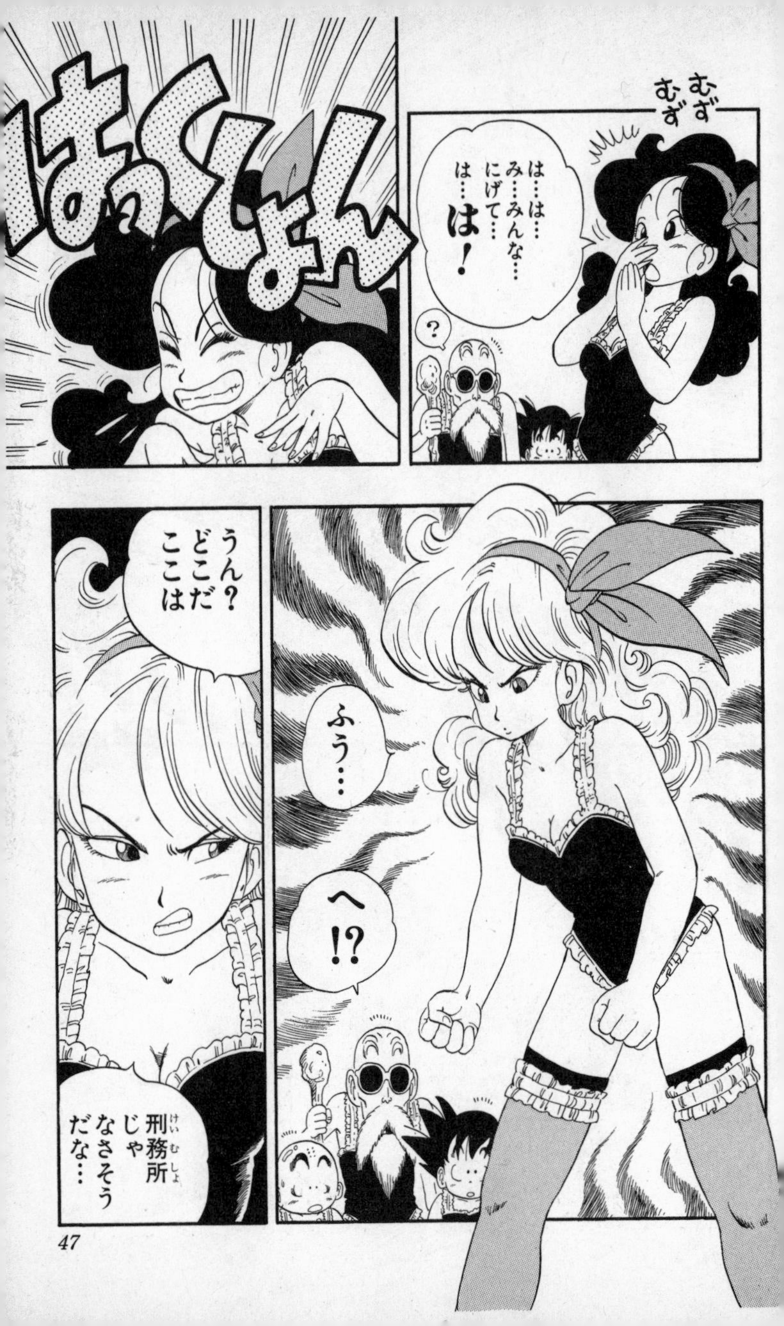

むずむず
は…は…み…みんな…にげて…は…は!
?
はくしょん
ふう…
へ!?
うん?どこだここは
刑務所《けいむしょ》じゃなさそうだな…

なんだてめえたちはっ!!
ジャコッ
ズガガガ……!!
ぎょわわわ〜〜〜っ!!!

へっくしょい!!
ガガガ…
コロッ
あら?
あらら?
すいませーーん!
わたし クシャミを するたびに 性格《せいかく》が いれかわっちゃう みたいなんですけど
なにか いけないこと しませんでした?
……い…いや べつに……
とんでもない 女《おんな》の子《こ》と 暮《く》らすことに なってしまった 亀仙人《かめせんにん》たち… このさき どうなるのやら…

いよいよ亀仙人《かめせんにん》のじいちゃんに修業《しゅぎょう》してもらえるようになったのはもう　陽《ひ》が　だいぶ下《した》のほうにさがってからだ
この島《しま》は　ちいさいのでもっと大《おお》きな島《しま》にオラたちはひっこすことになった
みんな外《そと》に　でたな　家《いえ》はカプセルにしてもっていくからの
ぱっ
どうやっていくんだ？　筋斗雲《きんとうん》そんなにのれるかな
ボートをだすんじゃ

ブオオーーロロン
そりゃ レッツ ゴー――!!
ランチさん おねがいだから 船《ふね》に のってる ときに クシャミは せんで ちょうだいね
は――い
ブオオオオ……ン
ランチという女《おんな》は クシャミを するたびに おとなしく なったり あばれんぼうに なったりする とてもへんなやつだ
しばらく すると 大《おお》きな島《しま》が みえてきた……
オオオ…ン

さてと！ さっそく 晩《ばん》メシまで かるく 修業《しゅぎょう》して やるかの
よろしく おねがい いたします
KAME HOUSE
ふ〜ん
これ 悟空《ごくう》よ！ なにをしておる 修業《しゅぎょう》じゃぞ おりてこい
じいちゃん ここ ほかにも家《いえ》が たってるぞ
当然《とうぜん》じゃ この島《しま》には 3百人《びゃくにん》ほどの 人《ひと》びとが住《す》んで おるからのう

やっと修業《しゅぎょう》だっ!! わく わく
あの
わたしもですか？
まあ あんたは どっちゃでも スキにすれば ええぞい
じゃあ 夕《ゆう》ごはんの したく して…
して…ま……
は…は…
!!

ひええええ〜〜〜っ!!!
ズドドドドッ!
は……
ささっ!!
はあぁ…
じゃあ 夕《ゆう》ごはん つくってるわ!
がんばって ね——っ
な なんだ あくびか…
びっくり した〜
ば ばかもの!
あ あれぐらいで びびっとる ようでは 一人前《にんまえ》には なれんぞ!

さて いよいよ 特訓《とっくん》を はじめる わけだが…
クリリンは 武術《ぶじゅつ》の こころえは あるのか?
はい!! 多林寺《おおりんじ》で 8年《ねん》ほど
なるほど では ふたりとも ひととおりの 基本《きほん》は できておるはずじゃ
いちおう 実力《じつりょく》を みせて もらおうかいの
よいか この岩《いわ》から あそこにみえる 木《き》まで ちょうど 百《ひゃく》メートルある
はたして 何秒《なんびょう》で 走《はし》ることが できるかな?
はやく 走《はし》れる者《もの》が よい武術家《ぶじゅつか》になれるという わけではないのだが 足腰《あしこし》が堅牢《けんろう》であるに こしたことはないのじゃ
ふっふっふ…
ボクが さきに 走《はし》りましょう おみせしますよ オリンピックにも 出場《しゅつじょう》できるほどの足《あし》を

ではいくぞ！
ようい
くいっ
ほいっ！
ダッ
タタタ…!!
はーーっ!!
カチッ

ほえ〜っ!!
すごいのう!!
10秒《びょう》4じゃ!!
こりゃー
たいしたもんじゃ
わい!!
いやー
10秒《びょう》4ですか
自己《じこ》ベストは
10秒《びょう》1
なんですけどね
はあ
まあ
この条件《じょうけん》では
そんなもんかな?
はっはっは
はあ
はあ
じいちゃーん
オラ　もう
走《はし》っても
いいのかーっ!?
おう!
よっしゃ
いくぞ
よう
ーい!
ふふふん
なんだ
あの
かまえは
ほいっ!
ダダダッ
タタタ…!
ほう!
悟空《ごくう》も
けっこう
はやいじゃ
ないか

ダダッ
カキッ
ふむふむ ほお！ 11秒《びょう》ちょうどか！
これまた ずいぶん はやいんじゃが クリリンには およばんのう
いやあ！ ボクと いっしょに しては きのどくですよ！ 悟空《ごくう》も なかなか やるじゃ ありませんか
うむ おまえたち 足《あし》は よく きたえてある ようじゃな
じいちゃん クツ変《か》えて もういっかい 走《はし》っていいか？
なんだ？ クツがわるいから ボクにまけた とでもいうのか？
よく みたまえ！ ボクの クツだって 陸上用《りくじょうよう》では ないんだぞ！
オラのクツ ぶっこわれてんだ
ほれ
パカ パカ
ほえ!?
へ!?

へへ
よし！と
バン
バン
じいちゃん
もう
いいぞ
——！
よ よし
では
いくぞ
ようい
ごく……
ほいっ!!

ズドドー
ヒュン
カチッ
……
……
は…8秒《びょう》5……
それはやいのかっ!?
お…おまえ…どういうきたえかたしたんだ…?

う～～む…
めちゃくちゃ
はやいのう…
おまえたち　ふたりとも
たいしたもんじゃ
しかし　それはあくまで
人間《にんげん》のレベル
完成《かんせい》された武道家《ぶどうか》に
なるには
その人間《にんげん》という壁《かべ》を
のりこえねば　ならぬ
ここが　きびしいのじゃ…
クリリン
わしの
タイムを
はかれ
カラン
え！
武天老師《むてんろうし》
さまも
走《はし》られるん
ですか？
いつでも
よいぞ～
では
いきます！
よ～～い
！……
はいっ!!

ギキーッ!!
ピタッ
なん秒《びょう》じゃ?
は…はええ!
ご…ごご…5秒《びょう》…6です……
5秒《びょう》6か…
まあまあかなそんなもんじゃろ…
人間《にんげん》をこえるとはこういうようなもんじゃおまえたちの若《わか》さなら修業《しゅぎょう》しだいで5秒《びょう》をきることもできるぞえ
やっぱしすげえなじいちゃん!!
ポカ〜ン…
ひさびさに走《はし》って のどがかわいたわい 悟空《ごくう》 ビールをもってきてくれるか
ビール? ビールってなんだ?
ボ ボクがもってきましょう

う〜む 武道《ぶどう》をおのれのものとするには知識《ちしき》も必要《ひつよう》じゃ おまえにはとくに そっちを特訓《とっくん》せにゃいかんのう…
へへへー
さすが武天老師《むてんろうし》さまはすごいっ!! ただのスケベな老人《ろうじん》ではないぞっ!!
すいません 老師《ろうし》さまのビールをとりにきました!
はーい どうもごくろうさ…………
は…は…
はっくしょん!!
あ!
い…いまのクシャミ…
ついに悟空《ごくう》たちの修業《しゅぎょう》がはじまった! あしたからはう〜〜んときびしい特訓《とっくん》がまっているのだ!
うぎゃぎゃぎゃ〜〜っ!!!
なんだってめーこのやろーっ!!
ギュン
むむ…!! クリリンのやつかなり人間《にんげん》の壁《かべ》にちかづいたの…!

陽《ひ》も暮《く》れかかってきたのう…
家《いえ》ではおいしい晩《ばん》ごはんがまっておる…
ゴク…
KAME HOUSE
本格的《ほんかくてき》な修業《しゅぎょう》は明日《あす》からみっちりとしてやることにして
晩《ばん》ごはんまでの間《あいだ》おまえたちの実力《じつりょく》を知《し》るためもういっかいだけテストをしよう
また走《はし》るのか?
それもあるじゃろうな
だがそれだけではない
よっこらせ

キュッ
キュキュッ
この石《いし》をよう見《み》ろ
?
?
見《み》たか
み　見《み》ましたけど…
その石《いし》をどうするんだ?
こうするんじゃ
とえっ!!
びゅん
ぴゅーーっ

おっほっほ〜〜〜 ずいぶん とんだのう
………
石《いし》を とおくへ なげる テストですか？
じいちゃんの かんがえる ことは よく わからんな…
いや いや 石《いし》を なげる テストではない
石《いし》を さがすテスト じゃ！
え？
い いま なげた 石《いし》をですか？
そうじゃ
物《もの》をさがすと いうことは なんでもないことの ようじゃが これが なかなかの 精神力《せいしんりょく》 集中力《しゅうちゅうりょく》を 必要《ひつよう》とする
おまけに このばあいは 体力《たいりょく》も必要《ひつよう》じゃろ
さきに みつけて ここへ もってきたほうが 勝《か》ち！
負《ま》けた ほうは 晩《ばん》ごはんは ぬきじゃ！
げげっ!!!

ただし
30分《ぷん》たって どちらも 石《いし》をさがせん かったときは ふたりとも 晩《ばん》ごはんは ぬきじゃ
さあ どっちが みつけるか のう…
うおおおお〜〜〜〜〜〜っ!!!
ととっ!!
くそっ!! 足《あし》をひっかける とこもない!! まわり道《みち》するしか ないなっ!!
ばっ
へ!?

ひゅ―…ん
バッ バカ!! 死《し》ぬ気《き》かっ!!
こんなこと オラ しょっちゅう 山《やま》で やってたぞ!
ほりゃ
いい枝《えだ》だっ!!
ほーっ!!

バキッ
い!?
ガン
ぐ〜〜っ!!!
いっででで〜〜っ!!!
晩《ばん》メシ晩《ばん》メシ!!
石《いし》コロやーい!!
あいつ人間《にんげん》か……?
やっやばい!!
さきをこされたぞっ!!
ちくしょう遠《とお》まわりかっ!!
……まてよ
あんなジャングルで30分《ぷん》以内《いない》にちいさな石《いし》をみつけるのはほとんど不可能《ふかのう》だな…

にた…
ふっふっふ
そうか そうか…
ガサ
ガサ…
たっ たっ たっ
きょろ
きょろ
お
よーーし
いい大《おお》きさだ
ごめん
くださーーい
329
ん？
なんだね？
まことに
おそれいりますが
ちょっとだけ
サインペンを
かしていただけ
ませんか

キュッ キュッ
亀
PEN
どうも――っ
……?
くん くん
くん くんくん…
じいちゃんのニオイがしてきたぞ！
ちかくにあるな!!
いかにもくろうしてみつけてきたというふりをしなければな…
はあっ はあっ
むっ 武天老師《むてんろうし》さま～～～っ!!
ぜえっ
ぜえっ
やっやっとさがしてまいりましたっ
ほおクリリンはやいな！

どれ どれ…
かんっ
ほぎゃっ!!
ごまかせると おもうか！ これは わしの字《じ》じゃ ない！
ちゃんと さがして こい――っ!!
しっ しつれい いたしました――っ!!
ガサ ガサ
くそ〜!! こんなとこで みつかるわけ ないんだよな〜
ガウ
わっ!!!

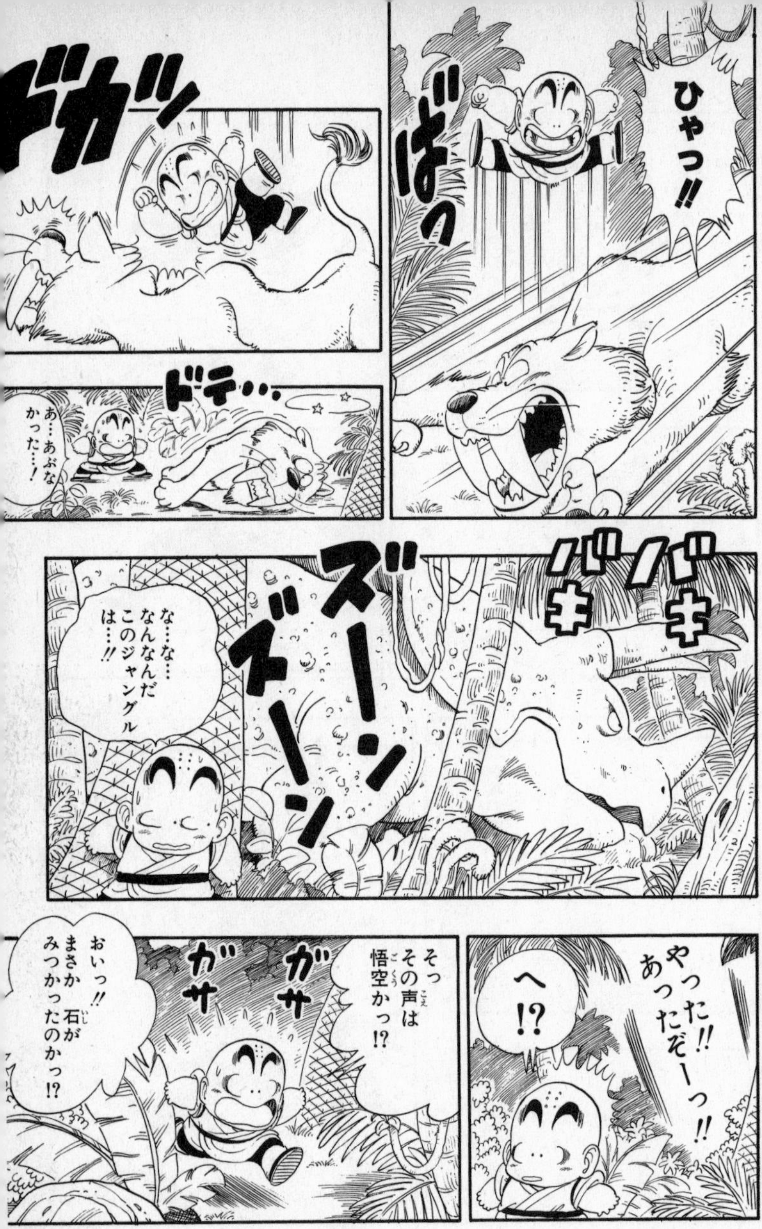
ひゃっ!!
ばっ
ドガッ
ドテ…
あ…あぶなかった…!
バキ バキ
ズーン ズーン
な…な…なんなんだこのジャングルは…!!
やった!! あったぞーっ!!
へ!?
そっその声《こえ》は悟空《ごくう》かっ!?
ガサ ガサ
おいっ!! まさか石《いし》がみつかったのかっ!?

へっへっへ〜〜〜
晩《ばん》メシ食《く》えるぞ〜〜!!
あっ!!
よ よく みつかったな!!
じいちゃんのニオイがしたからな!
おまえは犬《いぬ》か…!!
しかし ホントに あの石《いし》か〜? ちょっとかしてみろよ
そうだよ! ほら ちゃんと字《じ》もかいてあるだろ
ダッ
わははバカめ!!!
あっ!!
まて——っ!! このやろー きたねえぞーっ!!
へへ——っ なにを いうか 勝負《しょうぶ》の世界《せかい》は きびしいのだ!!

ダダダ〜〜ッ
まてーっ!!
とおっ!!
ビシッ ビシッ
ブチッ
わーっ!!
けけっ!!
タタ〜〜ッ
ひひひっ!!
うおお〜〜っ!!
げげっ!! しっ しつこいやつめっ!!

くるっ
くっ くそーっ!! こうなったら 勝負《しょうぶ》だっ!!
おっ!! やるか!?
はーっ!!
パシーッ
バカ バカ ボカ ドカッ バキッ
まいったか!?
まっ まいった まいった!!
ほれ 石《いし》をだせよ
おまえの強《つよ》さは ムチャクチャだな…
いったい いままで どこで習《なら》ってたんだ?
ほれっ 石《いし》だぞっ!!
ピュッ
あっ!!

こっ このやろう!!
ダダッ
へへーん だ
ひっひっひ……
ホンモノはこっちでした〜
うむ! こんどはまちがいなくわしのなげた石《いし》じゃ!
この勝負《しょうぶ》クリリンの勝《か》ち!!
はは——っどうも!
ささ 武天老師《むてんろうし》さま ぐいっ!と
パク パク
わははっ ランチちゃん あんた 料理《りょうり》 じょうずじゃないの〜!!
ガツ ガツ
ムシャ ムシャ
ほほ どうも〜! このお魚《さかな》 島《しま》の市場《いちば》で買《か》ってきましたのよ〜
ずず……
ぐ〜 きゅる きゅる……
その後《ご》 悟空《ごくう》をのぞく 3人《にん》が病気《びょうき》で 3日間《かかん》 寝《ね》こんでしまったため 修業《しゅぎょう》は中止《ちゅうし》だった この夜食《た》べた フグが原因《げんいん》で あった…

コーケコッコーッ!
ジリリリリ……!!
カチッ
やれやれ…
もう朝《あさ》か…
こりゃ　クリリン
おきろ!!
修業《しゅぎょう》じゃぞっ!!
は…
…へ?
まだ
4時《じ》半《はん》じゃ
ありません
か…
つべこべ
いわんで
さっさと
したくせいっ!!

くそ～
ランチさんが
あんな異常《いじょう》な
体質《たいしつ》じゃ
なかったら
いっしょに
寝《ね》たのに…
なんで　わしが
クリリンなんかと
寝《ね》にゃいかんのじゃ！
ぐぐっ!!
悟空《ごくう》のやつ
うらやましいのう…！
しかし
この娘《むすめ》に
つよいのは
悟空《ごくう》だけじゃ
からのう…
女《おんな》にも
興味《きょうみ》ないし…
どれ　どれ…
…
ランチさん
どんな
かっこうで
寝《ね》てるのか
な～？
やっ
やばいっ!!!
おそろしい
ときの
ランチさん
じゃっ!!!
め…目《め》を
さましたら
たいへんじゃぞ
……！
そ～～っと
悟空《ごくう》だけを
おこさんと…
……
コン
コン…
…ん？

あ！じいちゃんおっす！
がばっ
しーっしーっ!!
むく….
ギクッ!!
ギロ…
おっす
きさまーっ!!
なんでオレといっしょに寝《ね》てるんだーっ!?
しょうがねえだろ フトンがすくないんだから
うるせえっ!!
バン
わっ!!!!

バンバンバン
あだだっ!!!
い…いってえ……!!
こ こんにゃろ〜〜〜っ!!!
おまえなんかに負《ま》けるかっ
だ―――っ!!!
バキッ
ドン
もっと寝《ね》てろ!

お…おまえ女《おんな》でも容赦《ようしゃ》ないのう……
タンパクなやつ…
じいちゃんこんな朝《あさ》はやくなんだ？
いよいよ修業《しゅぎょう》か？
……
え!?
あ　ああ　そうじゃ!!　修業《しゅぎょう》じゃ!!
さて　やっと　わが亀仙流《かめせんりゅう》武術《ぶじゅつ》の修業《しゅぎょう》をはじめるわけじゃが
そのまえに武道《ぶどう》というものについてちょっとだけいっておく
KAME HOUSE

武道《ぶどう》を 習得《しゅうとく》するのは ケンカに勝《か》つためではなく ギャルに 「あらん♥あなた とっても つよいのね～ウッフーン」 と いわれるためでもない!
武道《ぶどう》を 学《まな》ぶことによって 心身《しんしん》ともに 健康《けんこう》となり それによって生《う》まれた 余裕《よゆう》で 人生《じんせい》を おもしろおかしく はりきって 過《すご》して しまおうと いうものじゃ!
ただし!
不当《ふとう》な力《ちから》で 自分《じぶん》もしくは 正《ただ》しい人《ひと》びとを おびやかそうと いう 敵《てき》には ズゴーンと いっぱつ かましたれ!!
ここまでは わかったか?
ぽけ～
ぜんぜん わからん
……………ようするに いっしょけんめい 修業《しゅぎょう》して 人生《じんせい》を 楽《たの》しく くらしちゃおう と いうことだ
なーんだ そうか! わかった わかった
バカだろ おまえ…
ま とりあえず
修業《しゅぎょう》を はじめるか!
まずは かるく ランニング じゃ
ついて こい
はいっ!!

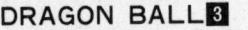

ほいっ
ほいっ
ほいっ
ほいっ
ほい
ほい
なんだ
武天老師《むてんろうし》さまの
修業《しゅぎょう》は
きびしいと
きいていたが
たいした
ことは
なさそうだな
ほいっ
ほいっ
ほいっ
ほい
とまれ
〜〜〜〜
MILK
おはよう
ござい
ま——す！
ガチャ
MILK
MILK
きのう
お電話《でんわ》した
亀仙人《かめせんにん》という
ものですが
いや〜
そうですか
どうも
どうも！
ごくろう
さまです
これが
配達場所《はいたつばしょ》の
地図《ちず》ですが
ね…
？
ふむふむ
…なるほど

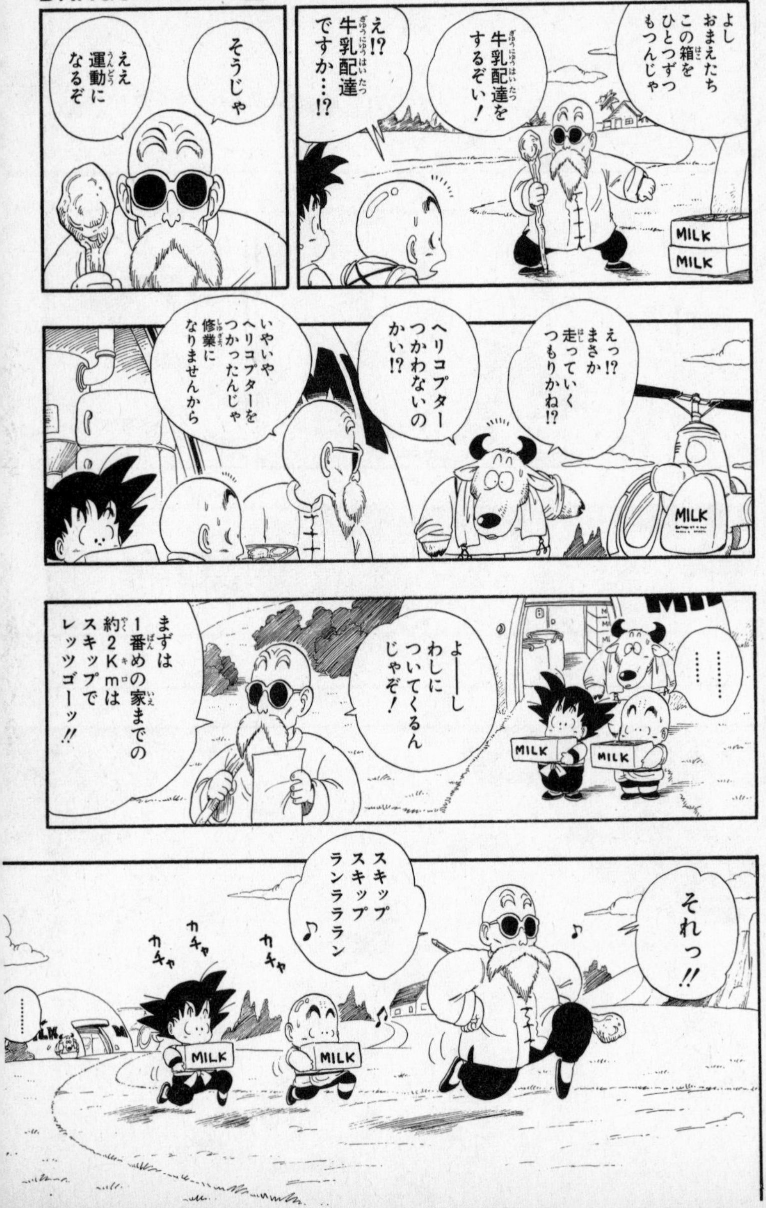
よし おまえたち この箱《はこ》を ひとつずつ もつんじゃ
牛乳配達《ぎゅうにゅうはいたつ》を するぞい!
え!? 牛乳配達《ぎゅうにゅうはいたつ》 ですか…!?
そうじゃ
ええ 運動《うんどう》に なるぞ
えっ!? まさか 走《はし》っていく つもりかね!?
ヘリコプター つかわないの かい!?
いやいや ヘリコプターを つかったんじゃ 修業《しゅぎょう》に なりませんから
MILK
……
よーーし わしに ついてくるん じゃぞ!
まずは 1番《ばん》めの家《いえ》までの 約《やく》2Km《キロ》は スキップで レッツゴーッ!!
MILK
MILK
それっ!!
スキップ スキップ ランラララン ♪
♪
カチャ カチャ
カチャ カチャ
……
MILK
MILK

ほりゃ スキップ スキップ♪
スキップ スキップ♪
コトン
MILK
よーし アキビンを回収《かいしゅう》したな！ さて つぎの 1Km《キロ》は
はあっ
はあっ
はあっ
MILK
MILK
MILK
この並《なみ》木《き》道《みち》を！
ジグザグ ジグザグ!!
よいやさ よいやさ

おそいぞ クリリン
のんびりしておると牛乳《ぎゅうにゅう》がくさってしまうぞ
はあ
はあ
はあっ
はあっ
ぜえっ
ぜえっ
さて つぎはこの階段《かいだん》をのぼる
まあ ここは べつに走《はし》らんでもよい
ほっ!!
ぎえええええ〜っ!!
ひいっ ひいっ
ほほう さすがの悟空《ごくう》もバテてきたか
MILK
じいちゃん…これ筋斗雲《きんとうん》つかって配《くば》ったらダメなのか?
それでは修業《しゅぎょう》にならんじゃろ

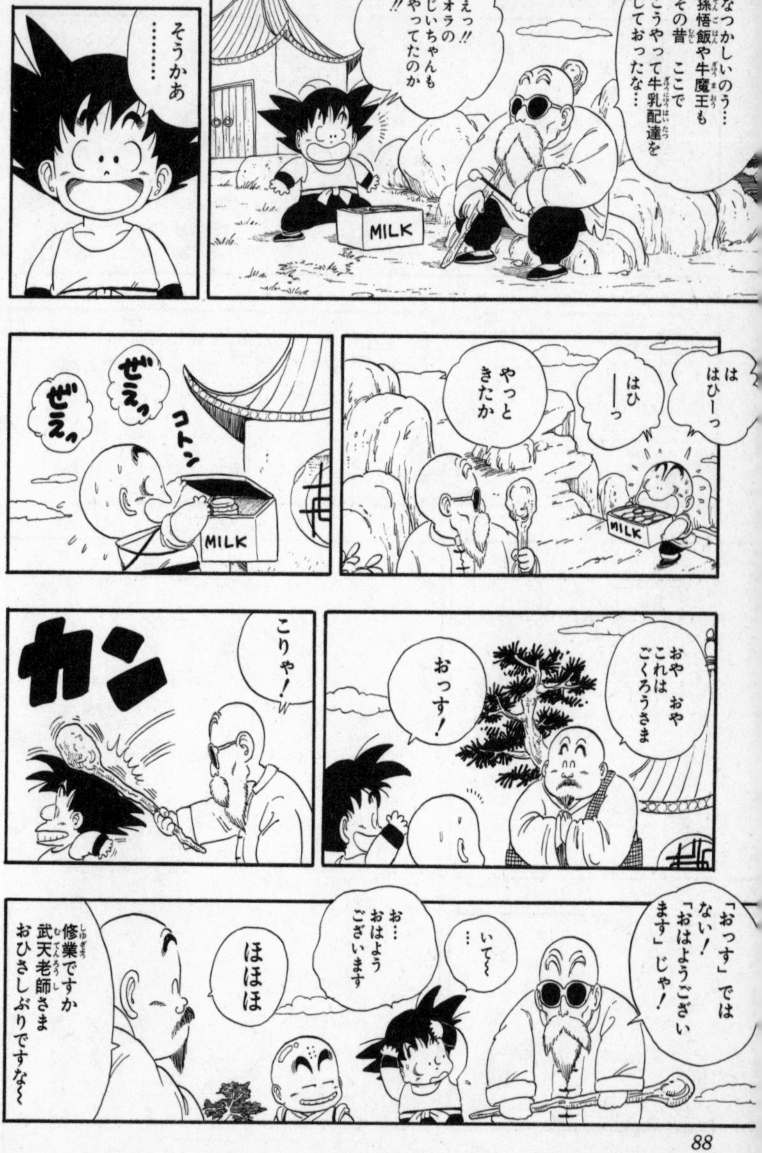
なつかしいのう…孫悟飯《そんごはん》や牛魔王《ぎゅうまおう》もその昔《むかし》ここでこうやって牛乳配達《ぎゅうにゅうはいたつ》をしておったな…
えっ!! オラのじいちゃんもやってたのか!!
そうかあ………
は はひーっ
はひ──っ
やっときたか
ぜえっ
ぜえっ
コトン
おや おや これはごくろうさま
おっす!
こりゃ!
カン
「おっす」ではない!「おはようございます」じゃ!
いて~…
お…おはようございます
ほほほ
修業《しゅぎょう》ですか 武天老師《むてんろうし》さま おひさしぶりですな~

いや いや こりゃ しばらくじゃ のう
あいかわらず お元気《げんき》そうで どうですか? このふたりの 修業《しゅぎょう》ぶりは
まだ はじめたばかり じゃからのう…
しかし ふたりとも なかなか みどころはあると おもうとる
みどころ あるって よ!
へへっ やったな!
ちゃんと 修業《しゅぎょう》さえすれば 8か月後《げつご》の 大会《たいかい》には 出場《しゅつじょう》できるじゃろ
ほう! 天下一《てんかいち》武道会《ぶどうかい》 ですな!!
てっ
天下一《てんかいち》 武道会《ぶどうかい》!?
なんだ? それ
国中《くにじゅう》から 武術《ぶじゅつ》の達人《たつじん》ばかりを あつめて 天下《てんか》一をきめる すごい大会《たいかい》なんだぞっ!!
へえ!! 天下《てんか》一か!
わっ わたしたちも 出場《しゅつじょう》できる ように なるんですかっ!?
なまけず 修業《しゅぎょう》すれば な
こりゃ たのしみです なあ

ただし おまえたちは 天下《てんか》一を とることが 目的《もくてき》ではないし 世《よ》の中《なか》 だいたい そんなに あまくはない
武道会《ぶどうかい》に 出場《しゅつじょう》するという 目標《もくひょう》が あれば なお いっそう 修業《しゅぎょう》に 身《み》が はいるじゃろうと おもったまでじゃ
すごいなーっ!! 出場《しゅつじょう》できたら いいなーっ!!
つよいやつ いっぱい くるんだろっ!?
では 牛乳配達《ぎゅうにゅうはいたつ》の つづきが あるんで
がんばって くだされ
ほい ほい
バランス バランス
わっ!! わわっ!!

ひーっ ひーっ
はあっ はあっ
ほれ ほれ のんびり あるいておると 砂《すな》に のまれるぞ!
ズブ… ズブ…
ザザーーッ
流《なが》される なよ〜 滝《たき》に ぶちおちる ぞ〜
ほりゃ!! ここは 全力《ぜんりょく》で走《はし》らんと 食《く》われるぞっ
わわ ーーっ!!
や… やっと おわった…
……
ひい
ひい
この 牛乳配達《ぎゅうにゅうはいたつ》を 8か月間《げつかん》 毎日《まいにち》すること!
これが 早朝《そうちょう》の修業《しゅぎょう》 じゃ つづいて 朝《あさ》の修業《しゅぎょう》…
ガ〜ン ……
やはり 亀仙人《かめせんにん》の修業《しゅぎょう》は きびしかった! しかし ふたりは 天下一武道会《てんかいちぶどうかい》を めざして がんばる!!

次《つぎ》は、其之《その》三十一　亀仙流《かめせんりゅう》の厳《きび》しい修業《しゅぎょう》

いよいよ悟空《ごくう》とクリリンの修業《しゅぎょう》が　はじまった！　朝《あさ》はやくからの超《ちょう》ハードな牛乳配達《ぎゅうにゅうはいたつ》を終《お》え　つぎに待《ま》っている修業《しゅぎょう》は　なにか!?　めざすは　８か月後《げつご》におこなわれる天下《てんか》一武道会《いちぶどうかい》の出場《しゅつじょう》である!!
さて早朝《そうちょう》の修業《しゅぎょう》につづいて
朝《あさ》の修業《しゅぎょう》じゃ
はあ
はあ
はあ
朝《あさ》の修業《しゅぎょう》は畑《はたけ》の耕《たがや》しをおてつだいするのじゃ
畑《はたけ》を？
うへぇ……！
え！　あの子《こ》たちが？　いや〜　そりゃすまんのう
でっかい畑《はたけ》だなあ……

さあ はじめろ！
はやく おわらんと いつまでたっても 朝《あさ》メシが 食《く》えんぞ
牛乳配達《ぎゅうにゅうはいたつ》といい 野良仕事《のらしごと》といい
こんな修業《しゅぎょう》 多林寺《おおりんじ》じゃ なかったな……
ペッ ペッ
こりゃ まて まて！
クワを つかっちゃ いかん！
へ!?
素手《すで》で 耕《たがや》すんじゃ 素手《すで》で！
この修業《しゅぎょう》は 足腰《あしこし》 腕《うで》などは もとより 手《て》をも きたえる ためじゃからの！
い!?
こっ この 広《ひろ》い畑《はたけ》を 手《て》で ですかっ!?

ザッ ザッ
ばばばばっ
ひええ え～っ!!
ぷか～…
お…おわったぞ……
くくく～～っ
手《て》手《て》が…いたい…!!
えらい時間《じかん》がかかったのう 朝《あさ》メシがおそうなったじゃないか
明日《あす》からはどんどんと耕《たがや》す畑《はたけ》がおおきくなる! もっと はよう せにゃいかんぞ
……

ズバババッ
ズビビッ
ガガガッ
…………
さて これから昼《ひる》メシまでは お勉強《べんきょう》タイムじゃ! カラダだけを いくら きたえても 一人前《にんまえ》の 武道家《ぶどうか》とは いえん 頭《あたま》も修業《しゅぎょう》せんとな
げ〜 オラ きらいだな〜
ふっふっふ これは かんぜんに ボクの勝《か》ち だな
では まず 国語《こくご》からいく 悟空《ごくう》 12ページから 読《よ》んでみろ
……
え〜と… うふん くすぐったい だめよ もうすぐ ままが かえって くるんだから と まーがれっとは いったのだが ぼぶは ごういんに…

午後《ごご》0時《じ》30分《ぷん》…
よーーし これから 1時半《じはん》までは 昼寝《ひるね》をするぞい
よく 動《うご》き よく 学《まな》び よく 遊《あそ》び よく 食《た》べて よく 休《やす》む これが 亀仙流《かめせんりゅう》の 修業《しゅぎょう》じゃ
さて つぎなる 修業《しゅぎょう》は 工事《こうじ》を てつだう
汗《あせ》をかき 筋肉《きんにく》をきたえ おまけに アルバイト料《りょう》まで もらえてしまう 修業《しゅぎょう》じゃ
ほれ がんばらんと 天下一武道会《てんかいちぶどうかい》に 出場《しゅつじょう》 できんぞ
ほお〜 よう はたらく ガキだなあ

さて たっぷりと汗《あせ》を かいたところで つぎの修業《しゅぎょう》は 水泳《すいえい》じゃ
え!? ま まだ やるんです か!?
あたりまえじゃ!! まだまだ あるわい!!
くら くら…
じいちゃん こんなの よりさあ
拳法《けんぽう》 おしえて くれよ!
かっ
ぺっ!!
ひよっこのくせに なぁ——にを ナマイキいっとるか!! 体力作《たいりょくづく》りもできとらんで 武術《ぶじゅつ》が教《おし》えられるわけ ねえじゃろっ!!!

武術《ぶじゅつ》を教《おし》えられるのはおまえたちにこれぐらいの岩《いわ》をうごかせるほどの体力《たいりょく》ができたときじゃ!!
こんこん
えっ!?
ままさか!!
そ そんなばかでかい岩《いわ》だれだってうごかせっこありませんよっ!!
そうかの
ふんぬぬぬぬ…!!!!
ずず…
ぎょっ!!!

わ
わかったか!
はあっ
はあっ
毎日《まいにち》体力作《たいりょくづく》りの修業《しゅぎょう》に　はげめばいずれはおまえたちにだってこういうことができるようになるのじゃ!
は…はい…!
ん?
くくく〜〜っ!!!
まだわからんのか修業《しゅぎょう》しなければムリじゃというのに…これ!
ぐおおお…!!

ずぞぞぞ・・・・!!
やった!!
うごいたぞ じいちゃん!!
………
む…む… 武天老師《むてんろうし》さま より たくさん うごきましたね…………
は…はは…はっはっはっは いいや〜 しっぱい しっぱい!
わ わしとしたことが 岩《いわ》の おおきさを まちがっちゃったわい! そ そんな ちいさな 岩《いわ》なら だれだって うごかせるに きまっとるわな!!

じつはこの岩《いわ》でしたー！
これがうごかせたら体力《たいりょく》づくりの修業《しゅぎょう》は完成《かんせい》ね！
ど〜ん
ひええっ!! こっこの岩《いわ》か!!
うげげ——っ!!
ぐぎぎぎぎ〜っ!!!!
こ　これはさすがにだめだ…！ビクともしねえ
とうぜんじゃぜんぜん修業《しゅぎょう》がたりんからな
じいちゃんはこれうごかせるのか!?
もち！
すごい!!うごかしてみせてくださいよっ!!

さあさあ そんなことより 修業《しゅぎょう》じゃ 修業《しゅぎょう》っ!!
のんびり しとる ばあいじゃ ないぞっ!!!
よいか! むこう岸《ぎし》まで 泳《およ》いで かえってくる! ただ それを 10往復《おうふく》するだけ じゃ!
10往復《おうふく》 ですか… まあ それぐらい なら なんとか
ただし この湖《みずうみ》には どういうわけか サメがおる
気《き》を つけろよ
ザバババッ
ほんぎゃ——っ!!!!

ひいっ
ひいっ
ひいっ
ゲホッ
ゲホッ
よし よし
では
つぎの修業《しゅぎょう》
よいか
これは
反射神経《はんしゃしんけい》を
養《やしな》う修業《しゅぎょう》
じゃ
?
こんな ナワで
しばって
なにするんだ?
ナワの
ながさの
範囲内《はんいない》で
敵《てき》の攻撃《こうげき》を
ササッと
かわすのじゃ
よいな!
え?
敵《てき》?
では
ゆくぞ!!
さっ

そろーり
そろーり
・・・・
じいちゃん敵《てき》ってだれなんだよ
ぽんっ
びゅーーーーん
うぎゃぎゃーっ!!
いでっ!!
ぎええっ!!!
ハッ
ハチだーーっ!!
ウワワワ〜ン
ほりゃ!!
サササーッと
よけんとどんどんさされるぞーっ!!

……
……
よし！
とりあえず きょうの修業《しゅぎょう》は こんなところで よかろう
ふ〜っ
あ…あの〜 きょ きょうの ような ものすごい修業《しゅぎょう》が ま…毎日《まいにち》 つづくんで しょうか…
なにを いうか きょうのは まだらくな ほうじゃぞ
あしたから 数《すう》か月間《げっかん》は
きょうと おなじ 修業《しゅぎょう》を すべて…
この20キロの 重《おも》さの甲《こう》らを 背負《せお》って やるんじゃ！
わしが 亀仙人《かめせんにん》と よばれているわけ わかった？
ばた
ずしっ
ウルトラハードな 亀仙人《かめせんにん》の修業《しゅぎょう》 ……しかし ふたりは 天下一武道会《てんかいちぶどうかい》の 出場《しゅつじょう》をめざして がんばってしまう のであった！

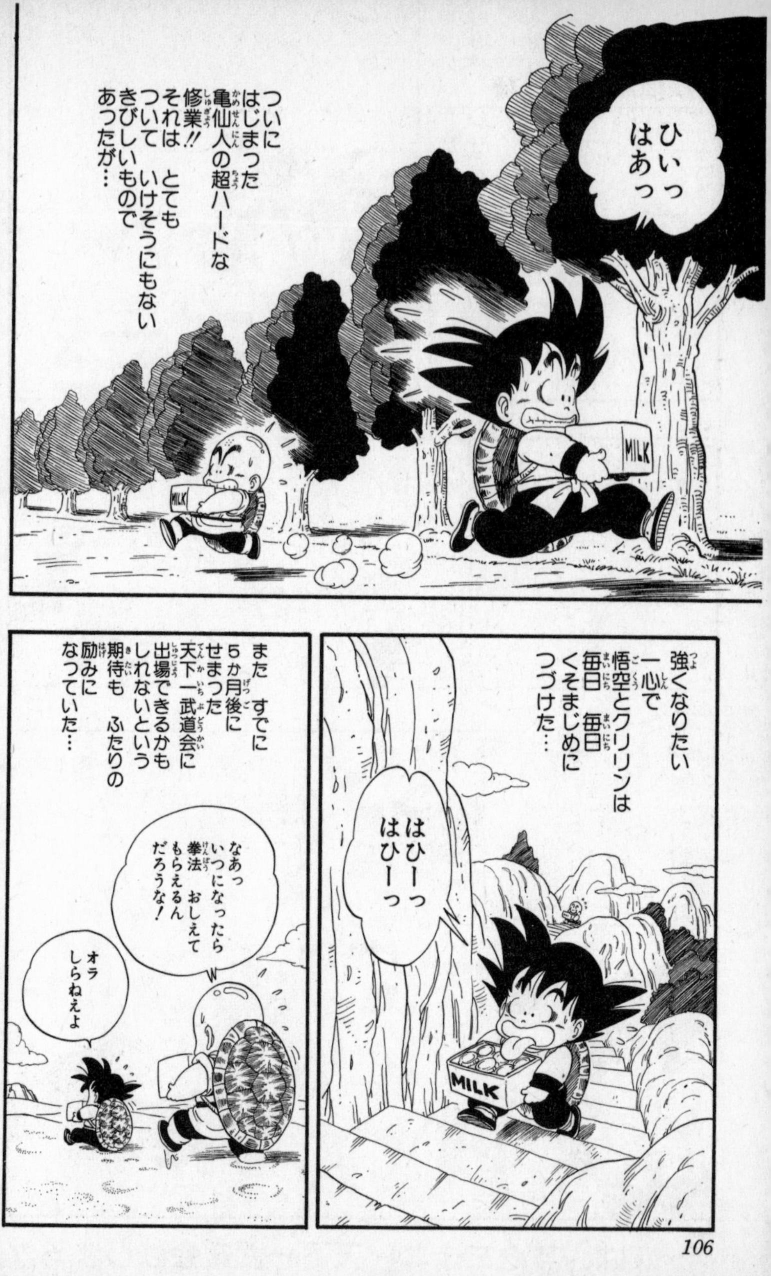

ひぃっ はあっ
ついに はじまった 亀仙人《かめせんにん》の超《ちょう》ハードな 修業《しゅぎょう》!! それは とても ついて いけそうにもない きびしいもので あつたが…
強《つよ》くなりたい 一心《しん》で 悟空《ごくう》とクリリンは 毎日《まいにち》 毎日《まいにち》 くそまじめに つづけた…
はひーっ はひーっ
また すでに 5か月後《げつご》に せまった 天下一武道会《てんかいちぶどうかい》に 出場《しゅつじょう》できるかも しれないという 期待《きたい》も ふたりの 励《はげ》みに なつていた…
なあっ いつになったら 拳法《けんぽう》 おしえて もらえるん だろうな!
オラ しらねえよ

やっぱり あの でっかい石《いし》を うごかせなきゃ 拳法《けんぽう》 おしえて くれねえんだろな!
などと いっているうち さらに 月日《つきひ》は 流《なが》れ…
KAME HOUSE
気《き》づかないまに ふたりは あの きびしい修業《しゅぎょう》を なんなく こなしていた
ババババッ
ハラ へったな!
むう…
こりゃ おもったより やりよるわい…

そして とうとう
天《てん》下《か》一《いち》武《ぶ》道《どう》会《かい》に
あと1か月《げつ》と
せまったある日《ひ》…
ダダダダ….
じいちゃん
じいちゃ――
ん!!
ダッ
ん?
なんじゃい
じいちゃん
ちょっと
きてくれ
よっ!!
こっ これっ
なんだと
いうんじゃ!?
これだよ
これ!!
え?
この岩《いわ》が
どうか
したのか?

うごかせるようになったんですよこの岩《いわ》を!!
見《み》ててくれよ!
へ!?
ま…まさか…
ぐっ!!!
ぐぎぎぎぎ…………!!!!

ズズズ…!
ひいっ はあっ ひいっ
……
ねっ!!
おつぎはボクです! 悟空《ごくう》ほどはうごかせませんけど
ふんっ!!!!

ズズ…
………
……
なっ!!これで拳法《けんぽう》おしえてくれるだろっ!?
はあっ
はあっ
う…うむ…まあまあだな…………
岩《いわ》をうごかすのはジョウダンだったんだけど……な…なんちゅうやつらじゃ……

拳法《けんぽう》と ゆうても おまえたちに 教《おし》えることは もう ほとんど ない
えっ!? そんな!!
KAME HOUSE
亀仙流武術《かめせんりゅうぶじゅつ》の 基本《きほん》は おまえたち ふたりが この7か月間《げっかん》 毎日《まいにち》やってきた 修業《しゅぎょう》の中《なか》に すべて ふくまれておる
自分《じぶん》では 気《き》づいておらんようじゃが 目《め》も拳《こぶし》も脚《あし》も 体《からだ》すべて そして 頭《あたま》の なかまで 鍛《きた》えられて おるはずじゃ 拳法《けんぽう》というのは ただ それらの応用《おうよう》に すぎん
KAME
武道《ぶどう》は 勝《か》つために はげむのではない おのれに負《ま》けぬ ためじゃ
そのために これまで 習得《しゅうとく》した 基本《きほん》を生《い》かし 自分《じぶん》で考《かんが》えて 自分《じぶん》で 拳法《けんぽう》を学《まな》べ
天下一武道会《てんかいちぶどうかい》は 勝《か》つことが 目的《もくてき》ではない どうせ 勝《か》てはせん
おのれの技量《ぎりょう》を ためし さらに 修業《しゅぎょう》を つむための 会《かい》じゃ

と いうわけじゃから
武道会《ぶどうかい》までの
1か月間《げっかん》も
とくに拳法《けんぽう》を
教《おし》えるということは
ない これまでと
おなじことをせい
げっ!!
ただし
しあげは
これまでの倍《ばい》の重《おも》さ
40キロの甲《こう》らを
背負《せお》ってやるんじゃ
ずっしり
どでっ
KAME HOUSE
なあ悟空《ごくう》
こんなことばっかり
やってて
おれたち ほんとに
天下一《てんかいち》武道会《ぶどうかい》に
出場《しゅつじょう》できるのか
な…
たくさんの
なかから
8人《にん》しか
出場《しゅつじょう》できねえん
だろ?
どうかな…

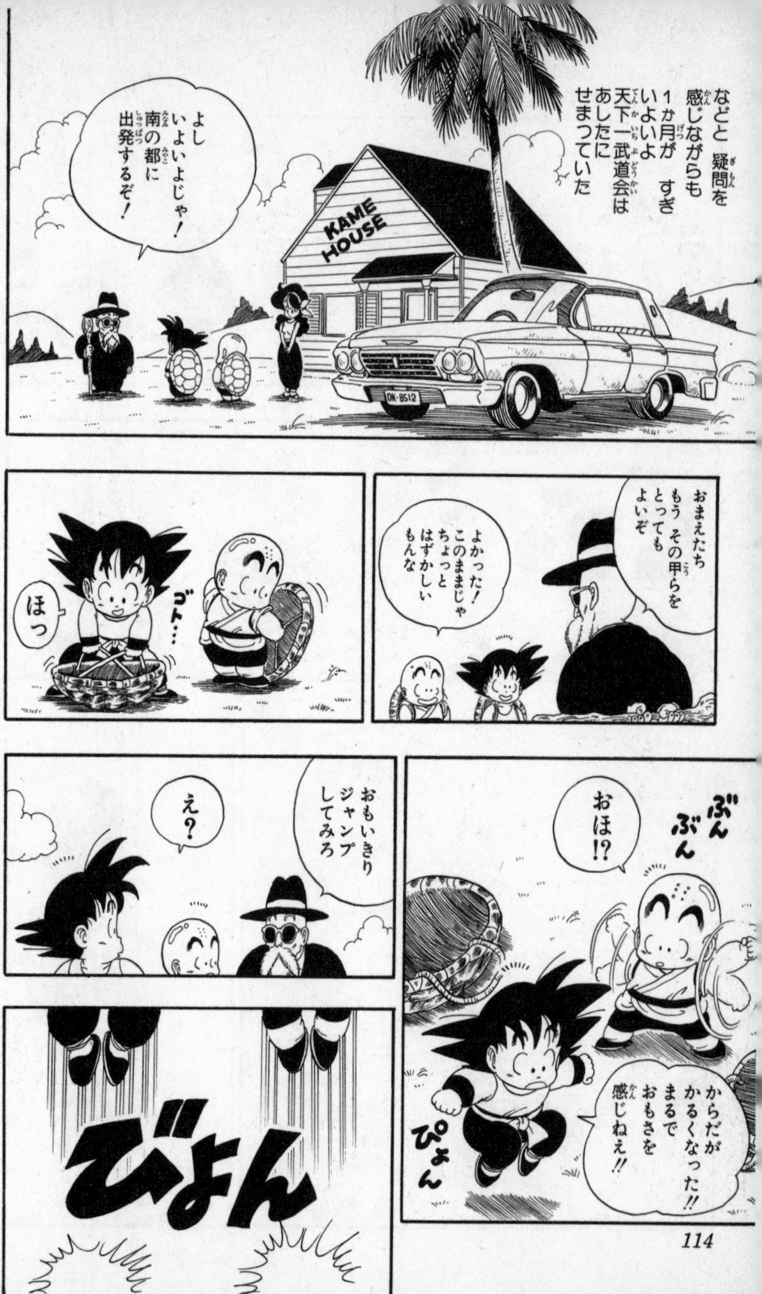
などと 疑問《ぎもん》を
感《かん》じながらも
1か月《げつ》が すぎ
いよいよ
天《てん》下《か》一《いち》武《ぶ》道《どう》会《かい》は
あしたに
せまっていた
よし
いよいよじゃ!
南《みなみ》の都《みやこ》に
出発《しゅっぱつ》するぞ!
KAME HOUSE
OK-8512
おまえたち
もう その甲《こう》らを
とっても
よいぞ
よかった!
このままじゃ
ちょっと
はずかしい
もんな
ゴト…
ほっ
おもいきり
ジャンプ
してみろ
え?
びよん
ぶん
ぶん
おほ!?
ぴょん
からだが
かるくなった!!
まるで
おもさを
感《かん》じねえ!!

ばひゅ───ん
えっ!?
ひやっ!?
KAME HOUSE
オ　オレたち……
じぶんで　とんだんだよな…
たん
たん
すっ　すげ──っ!!!!
ふっふっふ

すげーーっ すげーーっ ムチャクチャはやく走《はし》れるぞーーっ!!!
オレだって負《ま》けないぞーーっ!!
ズドドドドーーーッ
こりゃ!! はやくしたく せんと飛行機《ひこうき》にまにあわんぞっ!!
ひひ
へんなかっこうだな
おまえだって
バンッ
ほれのったのった!
じゃあがんばってね!
ああ!
ほんじゃランチさん留守《るす》をたのみますよー!

グオオオ・・・・ン
AIR
すげえなーっ こんなでかいのがとぶのかー!
でも筋斗雲《きんとうん》よりずっとのろいな
イナカモン…
さすりっ
きゃっ!!
OSR NEWS
天下一《てんかいち》武道会場《ぶどうかいじょう》まで
へいっ
TAXI
78812
つきましたよ
ごくろうさま

いやいや見物《けんぶつ》ではないあのふたりが参加《さんか》したいんじゃ
へ!? その子《こ》たちが参加《さんか》するんですか!?
参《さん》加《か》者《しゃ》受《うけ》付《つけ》
わーわー

次《つぎ》は、其之《その》三十三　修業《しゅぎょう》の威力《いりょく》!!

ついに　はじまった天下一武道会《てんかいちぶどうかい》！　悟空《ごくう》とクリリンはきびしい修業《しゅぎょう》の成果《せいか》を発揮《はっき》し予選《よせん》を勝《か》ち抜《ぬ》くことができるのであろうか!?
わい
わい
がや
がや
すげえ人《ひと》だな！選手《せんしゅ》もたくさんいるのかな
うん…そりゃあたくさんいるんだろうな…
ほりゃわしらは予選会場《よせんかいじょう》にゆくぞ！キョロキョロしてまいごになるなよ！

はい 武道会《ぶどうかい》に 参加《さんか》される 選手《せんしゅ》の方《かた》は 予選《よせん》を おこないますので 競武館《きょうぶかん》に おはいりください!
あっちか
ほ ほんとに きみたちが 参加《さんか》する つもりかね?
そうだ! いや そうです!
え ええ まあ いちおう

では つきそいは ここまでじゃ
まあ いちおう がんばって こい
はい！
おっと わすれる とこ じゃった
そんな かっこうじゃ たたかいにくい からな これを…
おほっ！ かっこいいな——！
な なかなか ハデですね… 負《ま》けたら かっこわるい な…
予選《よせん》で 勝《か》ち残《のこ》った 8人《にん》の出場者《しゅつじょうしゃ》は 観客《かんきゃく》の みている 表《おもて》で 戦《たたか》う！
わしも表《おもて》で 観戦《かんせん》しておるから おまえたちの姿《すがた》を みることができれば いうことなしじゃ
はい！ いちおう がんばり ます!!

がや
うわーーっ!! これ みんな 選手《せんしゅ》たちかっ!?
がや
がや
オ オレ 自信《じしん》なくなってきたよ……

え——　本日《ほんじつ》は 5年《ねん》に いちど 文字《もじ》どおり 天下《てんか》一の武道《ぶどう》の達人《たつじん》を 決定《けってい》する天下一《てんかいち》武道会《ぶどうかい》に はるばる とおいところより お集《あつ》まりいただき ごくろうさまです
集計《しゅうけい》によりますと 今大会《こんたいかい》は 全国各地《ぜんこくかくち》より 総勢《そうぜい》137名《めい》の 強豪選手《きょうごうせんしゅ》が こられ この中《なか》から たった8名《めい》しか 出場《しゅつじょう》できないわけですから かなり厳《きび》しい選出《せんしゅつ》と なるわけです
ひゃ 137人《にん》……!!
くら くら
それでは
競技《きょうぎ》の方法《ほうほう》と ルールを 説明《せつめい》します
1対《たい》1で この競技台《きょうぎだい》の上《うえ》で たたかい ここから落《お》ちたり 気絶《きぜつ》したり 「まいった」と いったり 泣《な》いたりしたら 負《ま》けです
ただし あいてを殺《ころ》しては いけません 武器《ぶき》の使用《しよう》もダメ! 予選《よせん》は 1分間《ぶんかん》だけで たたかいますが 決着《けっちゃく》が つかないばあいは 判定《はんてい》で勝負《しょうぶ》を きめます

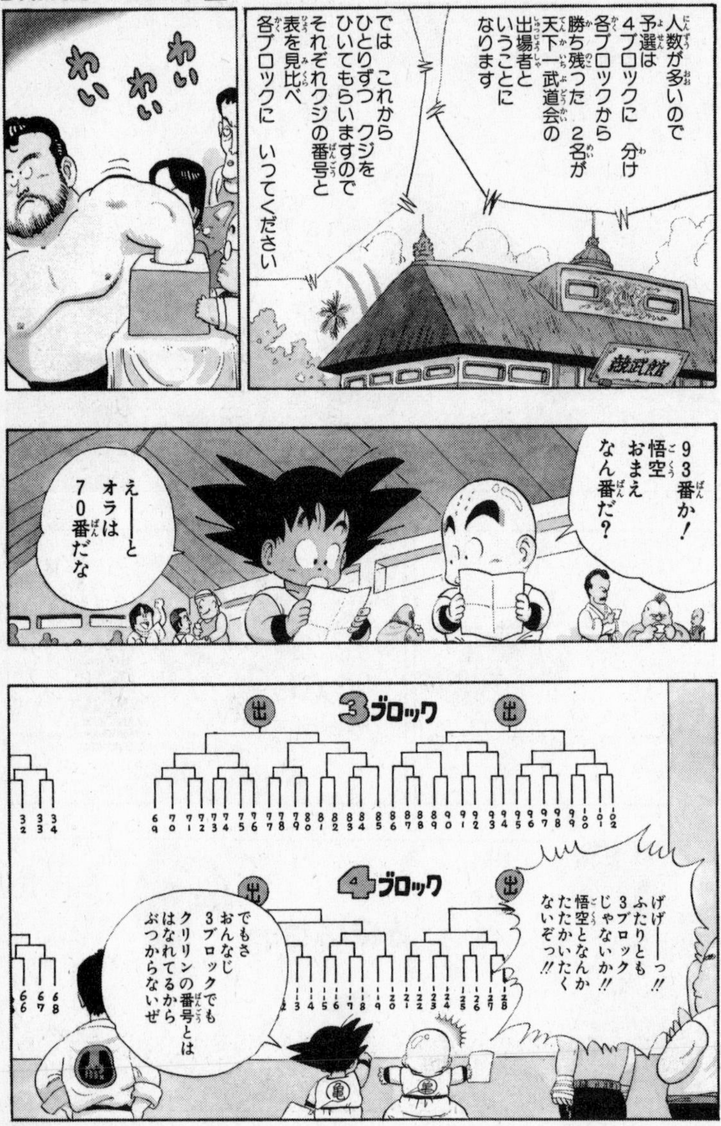
人数《にんずう》が多《おお》いので 予選《よせん》は 4ブロックに 分《わ》け 各《かく》ブロックから 勝《か》ち残《のこ》った 2名《めい》が 天下一武道会《てんかいちぶどうかい》の 出場者《しゅつじょうしゃ》と いうことに なります
では これから ひとりずつ クジを ひいてもらいますので それぞれクジの番号《ばんごう》と 表《ひょう》を見比《みくら》べ 各《かく》ブロックに いってください
競武館
わいわい わいわい
93番《ばん》か! 悟空《ごくう》 おまえ なん番《ばん》だ?
え——と オラは 70番《ばん》だな
3ブロック
4ブロック
げげ——っ!! ふたりとも 3ブロック じゃないか!! 悟空《ごくう》となんか たたかいたく ないぞっ!!
でもさ おんなじ 3ブロックでも クリリンの番号《ばんごう》とは はなれてるから ぶつからないぜ

悟空《ごくう》と たたかわなくて すむのは いいけど… かんがえてみたら 1回戦《かいせん》で 消《き》えちまったら かんけいないか…
武天老師《むてんろうし》さま たたかい方《かた》 おしえて くれなかった もんな…
だいじょうぶさ! じいちゃんの いったとおりに 修業《しゅぎょう》したんだ からな!
3 ブロック
はい!! では 3ブロックの 予選《よせん》を はじめます!!
69番《ばん》 70番《ばん》のふたりは 競技台《きょうぎだい》に あがってください!
ブロック
いきなり オラから だ
がんばれ よ 悟空《ごくう》!!
え!? あんなガキが 出場《しゅつじょう》するつもり なのか!?
ははははは
ちくしょう 69番《ばん》の やつは もうけだぜ!

なんじゃこいつは〜〜〜！
こんなアリンコに勝《か》ってもうれしくもなんともないじゃないか！
いったな〜〜〜!!
制限時間《せいげんじかん》は1分《ぷん》！はじめっ!!

CM TIME
とちゅうですけどちょっと失礼《しつれい》してコマーシャルを…『ドラゴンボール』のコミックス第《だい》4巻《かん》は大好評発売中《だいこうひょうはつばいちゅう》ですいよいよ白熱《はくねつ》する天下一武道会《てんかいちぶどうかい》をごらんください!
オラたちの活躍《かつやく》をみてくれよ!!

キキラッ
へ!?
き
きえた!!
こっち
こっち
トン
グオオオ
ぐおおおっ!!!
え!?

……
い…いぢぢぢ……!!
……!?
な70番《ばん》の勝《か》ち!!
ど どういうこった? いまの…
へん! ドジなやつだぜ
じぶんでバランスをくずして落《お》っこちやがった
なーんだそうかへっへっへ
……
おいよかったな! あいてがじぶんからぶち落《お》ちてよ!
……いやちがう…
え? なにがだよ
クリリン! よっぽどの相手《あいて》じゃなければおもいっきりやるのやめとけ!
おまえなにいってるんだ…

おう！クリリンじゃねえか!?
へへ～やっぱりそうだぜ
ひさしぶりだな～おめえが泣《な》きべそかいて多林寺《おおりんじ》をとびだして以来《いらい》じゃねえか？
せ…先《せん》ぱい……
ところでなんで おめえがこんなとこにいるんだ？
ピタ ピタ
まさか この天下一武道会《てんかいちぶどうかい》に出場《しゅつじょう》しようってんじゃないんだろ？
バカッ
は…はい…いちおう参加《さんか》することに…
ジョーダンきついね～おめえは見込《みこ》みがぜんぜんないってオレが忠告《ちゅうこく》してやっただろ？
ここにいるってことは3ブロックか！なん番《ばん》だ？
きゅ…93番《ばん》です…
ははっ！
こりゃいいぜ！おれの対戦者《たいせんしゃ》かよ！うわ――っ たのしみだな～！
えっ!?

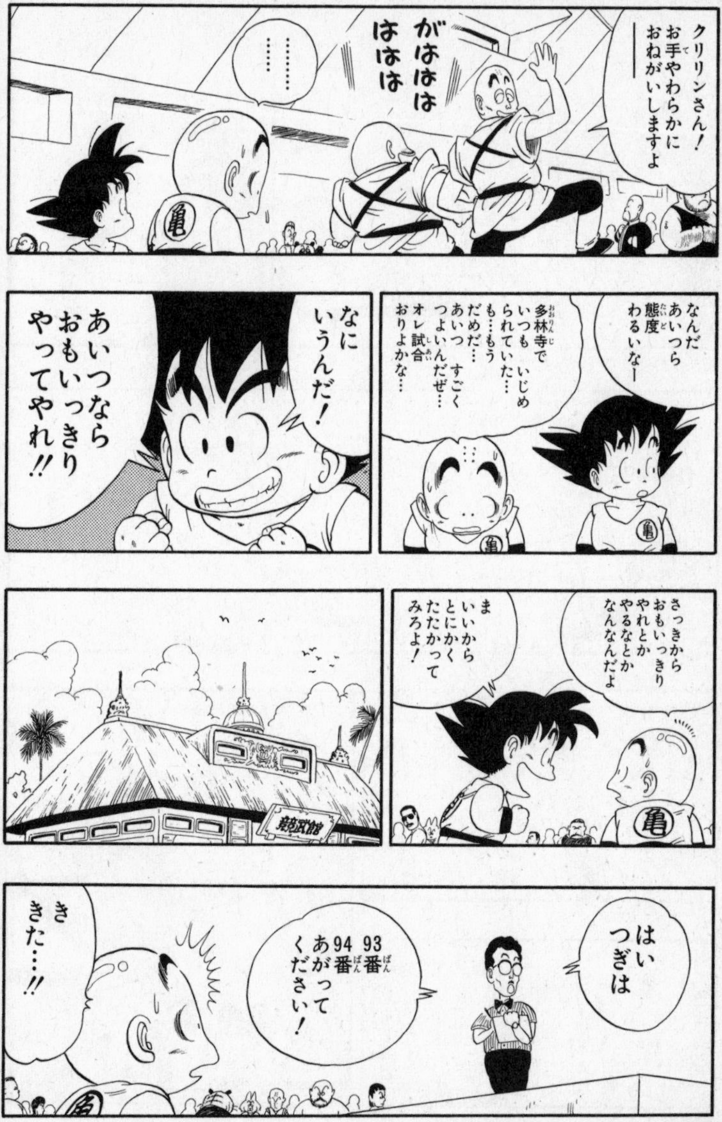
クリリンさん！お手《て》やわらかにおねがいしますよ
がはははははは
……
なんだあいつら態度《たいど》わるいなー
多林寺《おおりんじ》でいつも いじめられていた…も…もうだめだ… あいつ すごくつよいんだぜ…オレ試合《しあい》おりよかな…
なにいうんだ！
あいつならおもいっきりやってやれ!!
さっきからおもいっきりやれとかやるなとかなんなんだよ
まいいからとにかくたたかってみろよ！
はいつぎは
93番《ばん》94番《ばん》あがってください！
き きた…!!

へっへっへ しかし 多林寺《おおりんじ》ナンバー1《ワン》の たたかう相手《あいて》じゃ ねえな
まひさしぶりに かわいがって やるか
あんなやつ たいしたこと ないさ いっぱつだ
バ バカ いうんじゃ ないよ
はじめっ!!
ぐひひひ ひ……
あわわわ……
カチン
コチン
ぐあっ
へいっ!!!!

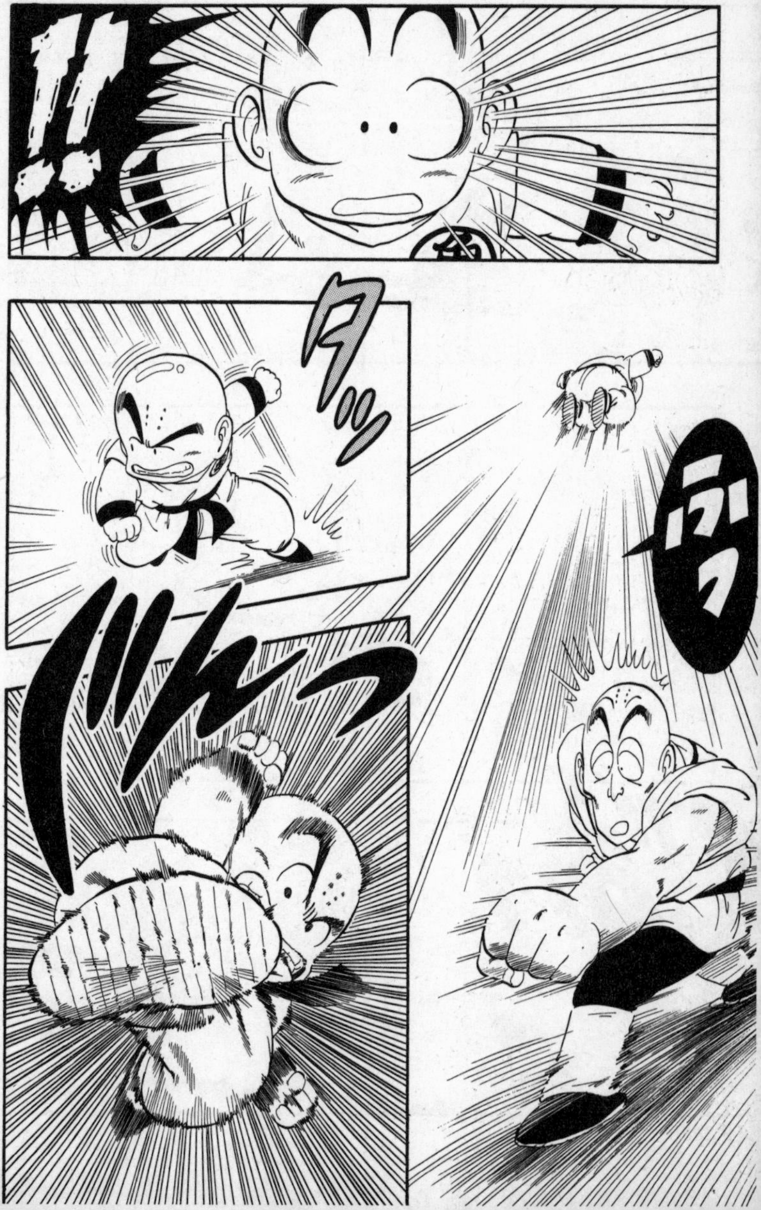
!!
タッ
ブンッ

次《つぎ》は、其之《その》三十四　天下無敵《てんかむてき》!

ごおっ
いっ!?

ズドーーン
スタッ
70番《ばん》の勝《か》ち!!!
おーーーっ
やった
ーっ!!
ほんとに
戦《たたか》えるのだろうか?
疑問《ぎもん》のままに
天下一武道会《てんかいちぶどうかい》に
参加《さんか》した
悟空《ごくう》とクリリン
であったが
武天老師《むてんろうし》の
修業《しゅぎょう》の成果《せいか》は
すさまじいもので
あった…!
わーー
わーー
競武館

はじめっ!!
がんばれよクリリン!
おう!
はい──っ!!!
ガツッ

ドカッ
ほんぎゃ!!
びたっ
ガッ
バキッ
ズガガッ
ボゴッ
はあっ
はあっ
ニヤッ
あのガキさっきはすごかったがな…
まぐれだったのか…
あらら?

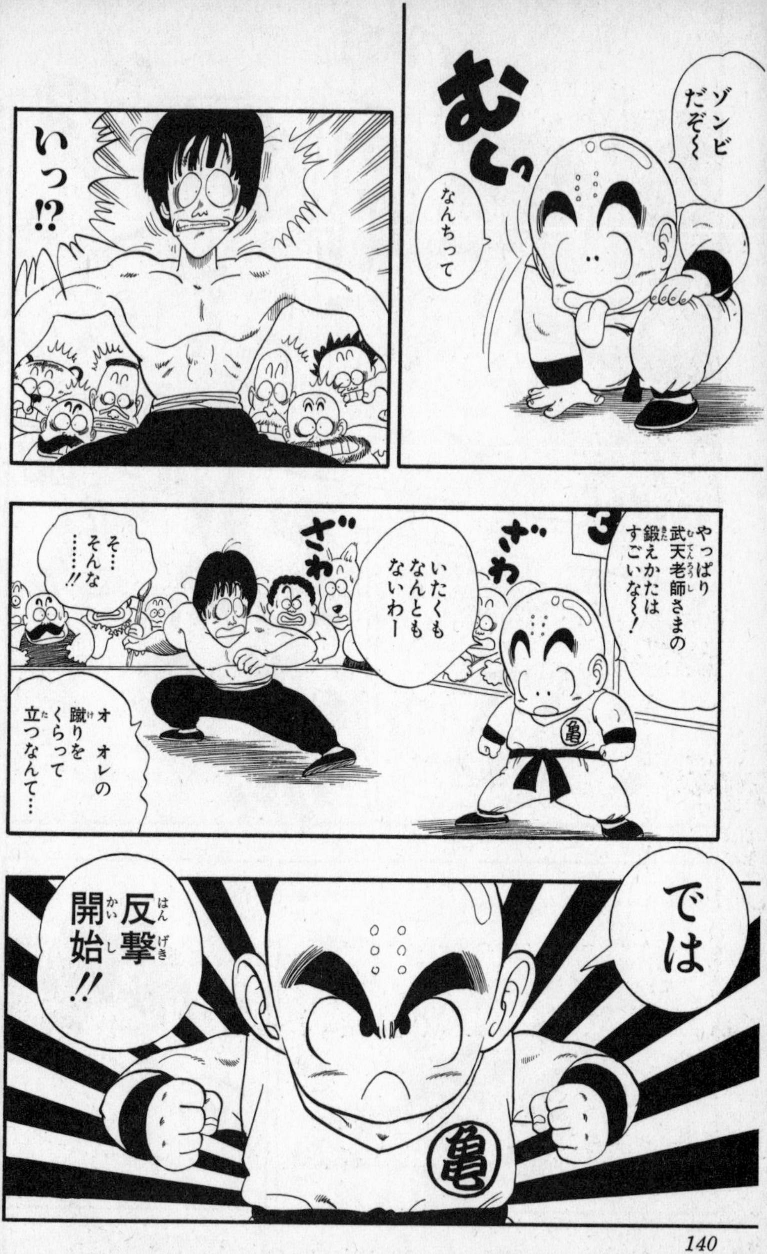
ゾンビだぞ~
むくっ
なんちって
いっ!?
やっぱり武天老師《むてんろうし》さまの鍛《きた》えかたはすごいな~!
ざわ
ざわ
いたくもなんともないわー
そ…そんな……!!
オ オレの蹴《け》りをくらって立《た》つなんて…
では
反撃《はんげき》開始《かいし》!!

ひっ!!!
ま　まいった!!
オレの負《ま》けだ!!
へ!?
そして　悟空《ごくう》とクリリンのふたりは　第《だい》3試合《しあい》も
勝《か》ち抜《ぬ》き　いよいよ出場決定《しゅつじょうけってい》を　かけた勝負《しょうぶ》へと
コマを進《すす》めることになった
悟空
クリリン
おー!
わー!

わーー
わーー
では第《だい》3ブロックひとりめの天下《てんか》一《いち》武《ぶ》道会《どうかい》出場者《しゅつじょうしゃ》を決《き》める試合《しあい》をおこないます!!
それいけ悟空《ごくう》――っ!!出場《しゅつじょう》しろよっ!!
ちいさなガキのくせにやたら強《つよ》いやつらがいるというんでみにきたが…
やはり悟空《ごくう》のやつか……
はじめっ!!

すっ
わたしの 獅《し》獅《し》牙《が》流《りゅう》が あんな小僧《こぞう》に 破《やぶ》れるわけはない
なんちゅう ひどい構《かま》えだ …スキだらけでは ないか…
よし!
たーーっ!!!
きっ きえたっ!?

やっほーーっ
はっ!!!
はーーっ!!
ばっ
くっ!!
さっ
やっ!!
サーッ
ガッ!

びたん
わっ!!
なっ
なにをする…!!
よっこら……
しょ!
ぽいっ
わたたっ!!
場外《じょうがい》!!
70番《ばん》の勝《か》ちっ!!
……
天下一武道会《てんかいちぶどうかい》出場決定《しゅつじょうけってい》っ!!!
やったーっ!!

とうとう決《き》めたな悟空《ごくう》!!!
ひゃっほ——っ!!!
つぎの勝負《しょうぶ》! 93番《ばん》 97番《ばん》の選手《せんしゅ》 台《だい》にあがってください
がんばれよクリリン!! ふたりで天下一武道会《てんかいちぶどうかい》にでようぜっ!!
おう!
悟空《ごくう》!
ドキドキ
え?
おめでとう! 武道会《ぶどうかい》出場《しゅつじょう》だな!
……え? だれ?
狼牙風風拳《ろうがふうふうけん》!!
ささっ
あっ!!

ヤムチャ!!!
やっとわかったか!
うわーっ!! すげーっ!! ひさしぶりだーっ
髪《かみ》の毛《け》がちがったからわからなかった!!
ブルマが都《みやこ》では長髪《ちょうはつ》はダサイから切《き》れ切《き》れというもんでな…
それにしてもこんなとこであうとはな
ヤムチャも天下一武道会《てんかいちぶどうかい》にきたんだろっ!? 出場《しゅつじょう》できたかっ!?
ああ! オレも出場《しゅつじょう》できたよ! いちおうこの大会《たいかい》を目標《もくひょう》に練習《れんしゅう》してたからな
しかし悟空《ごくう》にはとてもかないそうにないぜ
さすが武天老師《むてんろうし》に修業《しゅぎょう》うけただけあるなケタがちがうよ
おおーっ
おーっ
オラもビックリしてるんだ!!

てーーっ!!
BAKOOOM!
ズズーーン
まいった
93番《ばん》の勝《か》ち!!
天下一武道会《てんかいちぶどうかい》
出場決定《しゅつじょうけってい》っ!!
うはっ!!!
やつも武天老師《むてんろうし》のところで?
うん!! いっしょに修業《しゅぎょう》したクリリンだ!!
やれやれ…
準優勝《じゅんゆうしょう》もあぶねえな……………
やった やった やったーっ!!

次《つぎ》は、其之《その》三十五　対戦決定《たいせんけってい》!!

悟空《ごくう》とクリリンは　つぎつぎと予選《よせん》を勝《か》ち抜《ぬ》き
とうとう　天下一武道会《てんかいちぶどうかい》に　出場《しゅつじょう》できることに
なった　そして　その8人《にん》の中《なか》には　あの
ヤムチャもいたのである…！
やー
やー
やー
やー
天下一武道会
武
やっほーっ!!
やったやったやった──っ!!!

ちょっと すいません!
ちょっと すいません!
すごい人《ひと》だ! これじゃ 武天老師《むてんろうし》さまも おまえの 友《とも》だちも みつかりそうに ないな
おじさん ちょっと いい?
え?
キョロ キョロ
……
いたっ!! みんな いっしょだ!!
ありゃま~! ひさしぶり じゃのう!

亀仙人《かめせんにん》さん いったい どこに 住《す》んでるのよ！
悟空《ごくう》に あおうとおもって 島《しま》を たずねて いったけど なんにも なかったわよ!!
悟空《ごくう》たちの 修業《しゅぎょう》をするには せまいんで ひっこし したんじゃよ
そんなことより どうじゃ ひさしぶりに ぱふぱふ やってくれんかのう！
するか…!!
ピクピク…
ウーロン!!
へ!?
悟空《ごくう》っ!!!
わーーっ ひさしぶり だぜーーっ!!
ほんと だな ーーっ!!
ブルマもプーアルも 元気《げんき》だったかっ!?
うん！
ちょっと！ なんで あんたが こんなとこに いるのよ!!

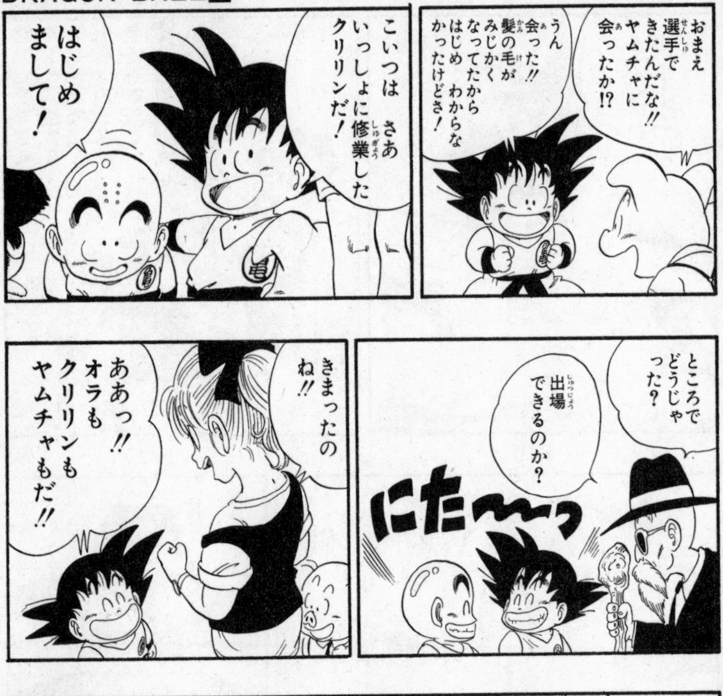
おまえ選手《せんしゅ》できたんだな!! ヤムチャに会《あ》ったか!?
うん会《あ》った!! 髪《かみ》の毛《け》がみじかくなってたからはじめ わからなかったけどさ！
こいつは いっしょに修業《しゅぎょう》したクリリンだ！
さあ
はじめまして！
ところでどうじゃった？
出場《しゅつじょう》できるのか？
にたーっ
きまったのね!!
ああっ!! オラもクリリンもヤムチャもだ!!
バンザーイ!!
みんなすっごいじゃないっ!!
えへん
あいかわらずやるな——っ！
うむ！ようやったえらいぞ!!

では まもなく天下一《てんかいち》武道会《ぶどうかい》をはじめます！出場者《しゅつじょうしゃ》の8名《めい》は武道寺本館《ぶどうじほんかん》に集合《しゅうごう》してください！
あんたたち集合《しゅうごう》だって
じゃ またあとでな――っ!!
がんばれよ――っ!!
さて…
ふふ…あいつ あいかわらずチビねえ
わー
わー
あれ～？あの じいさん どこいったんだ？
天下一
わー
わー

そうか！
みんなに
会《あ》えたか！
うん！
なつかし
かったぞっ！
うほほ〜
おじょうさんも
出場者《しゅつじょうしゃ》
かいね？
がはは
は!!
どけ
どけ
ズン
ズン
ズン
うっ!!
くっ!!
くっせえ〜〜〜っ!!!

な　なにものですか!?あいつ…
がっはっはっは
プ〜ン
や　やつはてごわいぞ！おそろしい怪力《かいりき》の持《も》ち主《ぬし》だ！
だが　もっとおそろしいのは生《う》まれてからいちども　フロにはいっていないという超悪臭《ちょうあくしゅう》だ…！
あまりの臭《くさ》さにおもわず鼻《はな》をつまんでしまう
そうやってあいての手《て》をつかえなくして攻撃《こうげき》にうつるのだ…！
フケツが武器《ぶき》か…
オ　オライヌのようにハナがいいからこたえるな〜
はい
出場者《しゅつじょうしゃ》のみなさん集合《しゅうごう》してくださ――い！
ぷううう〜ん
あ　あなたはちょっとは　はなれていただけますか

では
さっそく
対戦相手《たいせんあいて》
対戦順《たいせんじゅん》を
決《き》めるため
クジ引《び》きをします
名前《なまえ》をよばれたら
クジを引《ひ》いて
ください
あ～ちょっと
は？
わしはこの娘《むすめ》さんと対戦《たいせん》したいんじゃが
わがままいわんでください!!
でではは名前《なまえ》を…
え～ナムさん
はい
6番《ばん》

第《だい》3試合《しあい》ですね
え〜 怪獣《かいじゅう》ギランさん
おう!
8番《ばん》… 第《だい》4試合《しあい》です
バクテリアンさん
ゲヘ!
に… 2番《ばん》… 第《だい》1試合《しあい》…
ナム
バク
ヤムチャさん
ああ
3番《ばん》 第《だい》2試合《しあい》です
クリリンさん
はは はいっ!!

手《て》がとどくかね？
1番《ばん》！第《だい》1試合《しあい》でバクテリアンさんと対戦《たいせん》です
ぎえぇっ!!
にた～
え…と
孫悟空《まごごそら》さん
しーん
いませんかまごごそらさん！
おかしいな人数《にんずう》はいるのに…
ひょっとして孫悟空《そんごくう》じゃないか？
へ!?
そ…孫悟空《そんごくう》さんはいらっしゃいますか…？
はいっ!!!
7番《ばん》…と第《だい》4試合《しあい》です…
ランファンさん
あはん

ジャッキー・チュンさん
ほい
いじょうのようにきまりました
試合《しあい》は無制限《むせいげん》の1本勝負《ほんしょうぶ》！
武舞台《ぶぶたい》 つまり試合場《しあいじょう》から落《お》ちたり「まいった」と いったりしたら負《ま》けです！
ただし
目《め》つぶしや急所攻撃《きゅうしょこうげき》は反則《はんそく》です
きゅうしょって？
品《ひん》のないいいかたをすればいわゆるキンタマです
あの〜
それないんですけど…
そ それではまもなく試合《しあい》がはじまりますので
出場《しゅつじょう》までここで お待《ま》ちください…
ムシしてやった
ねーねー昼《ひる》メシは!?
え!?
あなた試合直前《しあいちょくぜん》にゴハンを 食《た》べるんですか？
おわってからのほうが…
オラは食《く》うっ!!

で では
彼《かれ》に
昼食《ちゅうしょく》の
したくを
わかりました
こちらへ
どうぞ
クリリンは
いいのか?
じょ
じょうだん
じゃない
きんちょうして
はいらないよ
すいませーん
また
おかわりー!
……
……
みなさま
たいへん
ながらく
おまたせ
いたしました!!
ワーー
ワー
ワー
ただいまより
第《だい》21回《かい》
天《てん》下《か》一《いち》武《ぶ》道《どう》会《かい》を
はじめます!!!

天下《てんか》一を狙《ねら》う8人《にん》の武者《むしゃ》!!!

第《だい》1試合《しあい》
クリリンVS《バーサス》バクテリアン
勝《しょう》
第《だい》6試合《しあい》
第《だい》3試合《しあい》
ナム
ランファン
第《だい》4試合《しあい》
孫悟空《そんごくう》
ギラン
第《だい》2試合《しあい》
ヤムチャVS《バーサス》ジャッキー・チュン

いよいよ決戦《けっせん》せまる!!!

次《つぎ》は、其之《その》三十六　第《だい》1試合《しあい》

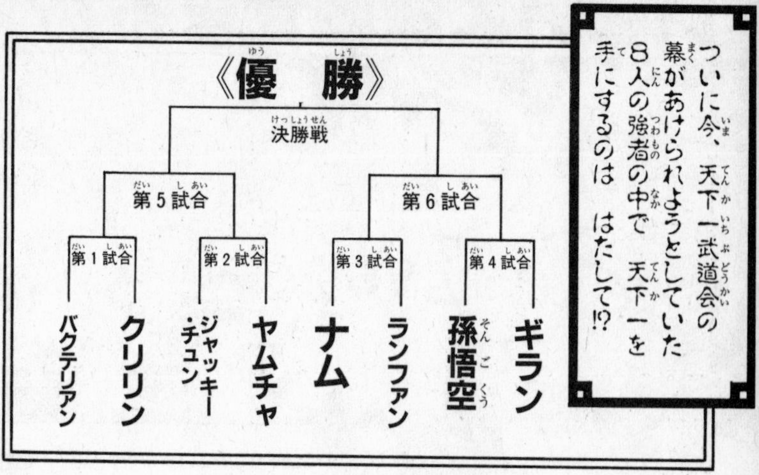
ついに今《いま》、天下一武道会《てんかいちぶどうかい》の幕《まく》があけられようとしていた
8人《にん》の強者《つわもの》の中《なか》で 天下一《てんかいち》を手《て》にするのは はたして!?
《優《ゆう》 勝《しょう》》
決勝戦《けっしょうせん》
第《だい》5試合《しあい》
第《だい》6試合《しあい》
第《だい》1試合《しあい》
第《だい》2試合《しあい》
第《だい》3試合《しあい》
第《だい》4試合《しあい》
ギラン
孫悟空《そんごくう》
ランファン
ナム
ヤムチャ
ジャッキー・チュン
クリリン
バクテリアン

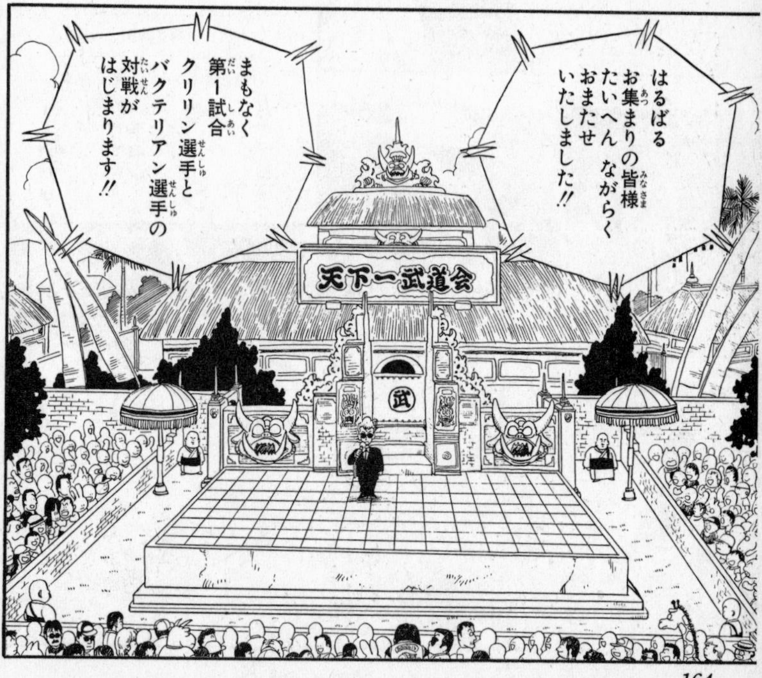
はるばるお集《あつ》まりの皆様《みなさま》 たいへん ながらくおまたせいたしました!!
まもなく第《だい》1試合《しあい》 クリリン選手《せんしゅ》とバクテリアン選手《せんしゅ》の対戦《たいせん》がはじまります!!
天下一武道会
武

なお この大会《たいかい》の 優勝者《ゆうしょうしゃ》には 50万《まん》ゼニーの 賞金《しょうきん》がおくられる ことになって おります！
では第《だい》1試合《しあい》が はじまります前《まえ》に ここ武道寺《ぶどうじ》の 管長《かんちょう》より ひとこと ごあいさつを！
管長《かんちょう》 どうぞ
わん
ありがとう ございました!!

それでは第《だい》1試合《しあい》のはじまりです!!! 両選手《りょうせんしゅ》 登場《とうじょう》してくださいっ!!!
がんばってこいよ クリリン!! ぜったい勝《か》てるからなっ!!
あ ああ…
ワー
ワー
ワー
ドキドキ

こちら　クリリン選手《せんしゅ》は　なんと今大会《こんたいかい》　最年少《さいねんしょう》　弱冠《じゃっかん》13歳《さい》の出場者《しゅつじょうしゃ》！
そして　こちらの　くさい　おかたが　生《う》まれて　このかた　いちども入浴《にゅうよく》したことが　ないという　バクテリアン選手《せんしゅ》です!!
ぷうぅ～ん
うわーぐえーくせー
あいつ　悟空《ごくう》と　いっしょに　修業《しゅぎょう》したって　いうやつだ！
ヤー
それにしても　くさいです　ねえ
弟子《でし》の　試合《しあい》だって　いうのに　どこいっちゃった　のかしら　亀仙人《かめせんにん》…！
ヤー
なんだ～!?　あんな　チビが　よく　出場《しゅつじょう》できた　もんだな～！
おい！　応援《おうえん》して　やっからな
あ！

いいですか!!この武舞台《ぶぶたい》から落《お》ちたら負《ま》け!!
ダウンして10《テン》カウントされても負《ま》け!!「まいった!」といっても負《ま》け!!試合時間《しあいじかん》は無制限《むせいげん》です!!
し〜〜ん
ごく
第《だい》1試合《しあい》はじめっ!!!!

ズダダダ…
どんどんどん
ぐあ〜ん
むお〜…ん
げっへっへっへっへっへ!!
ぐりぐり
うっ!!

ぶんっ
ぐはっ!!
わっ!!
とっ
おおーっ
おおーっ
むむ よく よけただな こしゃくな
へっへっへ
そんなら……
クチのニオイを かいで みれっ!!
はぁぁぁ

お…
おおお……
くら
くら
さらに!!
ばーり
ぼーり
ばりぼ!!
ほりゃ!!
つる〜ん
あ…
あ……
どてっ
あっ!!
クリリン!!

おっと！クリリン選手《せんしゅ》はやばやとダウンしてしまいました!!
わー
わー
クチ そして股間《こかん》のすさまじい激臭攻撃《げきしゅうこうげき》!! これはたまりません!!
わー
ワン！ツー！
げへへへ とどめだ!!
すかん
おーーっと!! すかしっ屁《べ》だ!! こっ これは臭《くさ》さのチャンピオン!!
ぐお～っ げげ～っ
ぴくっ ぴくっ
バクテリアン選手《せんしゅ》の すさまじいトリプル攻撃《こうげき》!! クリリン選手《せんしゅ》しびれて立《た》てませんっ!!

このっ このっ
ぎゃふんっ ぎゃふんっ
わちゃっ!! さらに ケリを くらわしております!!
これは あっというまの 電撃殺法《でんげきさっぽう》! しかし クリリン選手《せんしゅ》は なんの 攻撃《こうげき》もしないままに やぶれさってしまいそうです!!
かわいそうに……
こ こりゃ もうダメだな…
カウントは すでに 6《シックス》…… 7《セブン》……………
立《た》てよ クリリン!! そんなやつに 負《ま》けるなっ!!
8《エイト》…
はっ!!
クリリン!! よく かんがえて みろっ!!
臭《くさ》いのは 気《き》のせいだっ!! におうわけ ないだろっ!!

おまえには鼻《はな》がないじゃないかっ!!!
は…
…9《ナイン》…
そっそうかっ!!
ぱっ
おーーっと!!クリリン選手《せんしゅ》立《た》った!!立《た》ちましたーーっ!!!
カウントギリギリでセーフ!!信《しん》じられませんよく立《た》ちましたーーっ!!
わーわーわー
サンキュー悟空《ごくう》!!

よぉ〜〜し！
いくぞっ!!!
ぐぬぬぬぬ〜〜〜っ！
鼻《はな》がねえとはとんでもねえやつだな…
だがオラの武器《ぶき》は臭《くさ》いだけじゃねえだぞっ!!
カーーッ!!
ぐええ〜〜っ!! こっ これはタンですっ!! 象《ぞう》もいやがってにげまわるというかれのタンをクリリン選手《せんしゅ》はよけきれるのか!?
フケッ！
もごもご…

ペッ
カカカカカ。。。。

ズウウーーーン
スタッ
おおおーっ
タタッ
ぴくぴく…
う…うぐぐ……!
ぷっ
ま…まいった…
おーっと!! これは奇跡《きせき》の大逆転《だいぎゃくてん》!! クリリン選手《せんしゅ》みごとな勝利《しょうり》です!!
ガク…
やはり さすがのバクテリアン選手《せんしゅ》も他人《たにん》の屁《へ》はくさかったーっ!!!
わーっ
わーっ
わーっ
わーっ

トビラページ大特集《だいとくしゅう》II

1巻《かん》に続《つづ》いて、またも、今回掲載《こんかいけいさい》されたドラゴンボールの各《かく》トビラ（それぞれのマンガの表紙《ひょうし》）を週刊少年《しゅうかんしょうねん》ジャンプに載《の》った、そのままで大公開《だいこうかい》しちゃうぜィ!!

ドラゴンボール
DRAGON BALL
あれ、女《おんな》かなあ？
わたし、ランチ
ちょっと
?《ふしぎ》なとこがあるの…
LU029
鳥山明《とりやまあきら》
其之二十六《そのにじゅうろく》　?《ふしぎ》な女《おんな》の子《こ》

其之二十七《そのにじゅうしち》 ランチのクシャミ
ドラゴンボール
老師様《ろうしさま》、下《した》からのぞくなんて…いいな。
わたしランチ。今日《きょう》からお仲間《なかま》です。
ぴちぴちギャルってどういうのかなあ？
もうこれから毎日《まいにち》バラ色《いろ》の人生《じんせい》だなあ。
鳥山明《とりやまあきら》
BIRD STUDIO
DRAGON BALL

ドラゴンボール

DRAGON BALL

其《そ》之《の》二《に》十《じゅう》八《はち》　修《しゅ》業《ぎょう》はじまり!!

鳥《とり》山《やま》明《あきら》
BIRD STUDIO

ドラゴンボール
DRAGON BALL
たくさん修《しゅ》業《ぎょう》して早《はや》く強《つよ》くなるゾ
其之二十九《そのにじゅうく》
亀《かめ》マークの石《いし》さがし
鳥山明《とりやまあきら》

目《め》指《ざ》せNo.《ナンバー》1《ワン》
ドラゴンボール
DRAGON BALL
其《そ》之《の》三《さん》十《じゅう》
牛《ぎゅう》乳《にゅう》配《はい》達《たつ》
鳥《とり》山《やま》明《あきら》 BIRD STUDIO
修《しゅ》業《ぎょう》真《まっ》最《さい》中《ちゅう》

DRAGON BALL
ドラゴンボール

其之三十一《そのさんじゅういち》
亀仙流《かめせんりゅう》の厳《きび》しい修業《しゅぎょう》

天下一武道会《てんかいちぶどうかい》めざし
早《はや》く強《つよ》くなりてえ。

鳥山明《とりやまあきら》 BIRD STUDIO

ドラゴンボール
DRAGON BALL
鳥山明《とりやまあきら》
BIRD STUDIO
其之三十二《そのさんじゅうに》
天下一武道会《てんかいちぶどうかい》
はじまる!!
勝《か》ちまくるぞ!!
やった! 大会《たいかい》だ!!
長《なが》くハードな
修業《しゅぎょう》は終《お》わり! さあ大会《たいかい》!!

DRAGON BALL

ドラゴンボール

高《たか》い所《ところ》に登《のぼ》ると、自分《じぶん》の未来《みらい》が見《み》えるかナ？

其《そ》之《の》三《さん》十《じゅう》三《さん》　修業《しゅぎょう》の威力《いりょく》!!

鳥《とり》山《やま》明《あきら》

DRAGON BALL

ドラゴンボール

其之三十四《そのさんじゅうし》　天下無敵《てんかむてき》！

鳥山明《とりやまあきら》

天下一武道会《てんかいちぶどうかい》

予選白熱《よせんはくねつ》!!!　勝《か》ち残《のこ》れ!!!

ドラゴンボール

DRAGON BALL

其《そ》之《の》三《さん》十《じゅう》五《ご》

対《たい》戦《せん》決《けっ》定《てい》!!

残《のこ》った強者《つわもの》の顔《かお》ぶれを見《み》よ!

やっほー出《しゅつ》場《じょう》決《けっ》定《てい》!!!

鳥《とり》山《やま》明《あきら》

ドラゴンボール

DRAGON BALL

其《そ》之《の》三《さん》十《じゅう》六《ろく》　第《だい》1試《し》合《あい》

鳥《とり》山《やま》明《あきら》

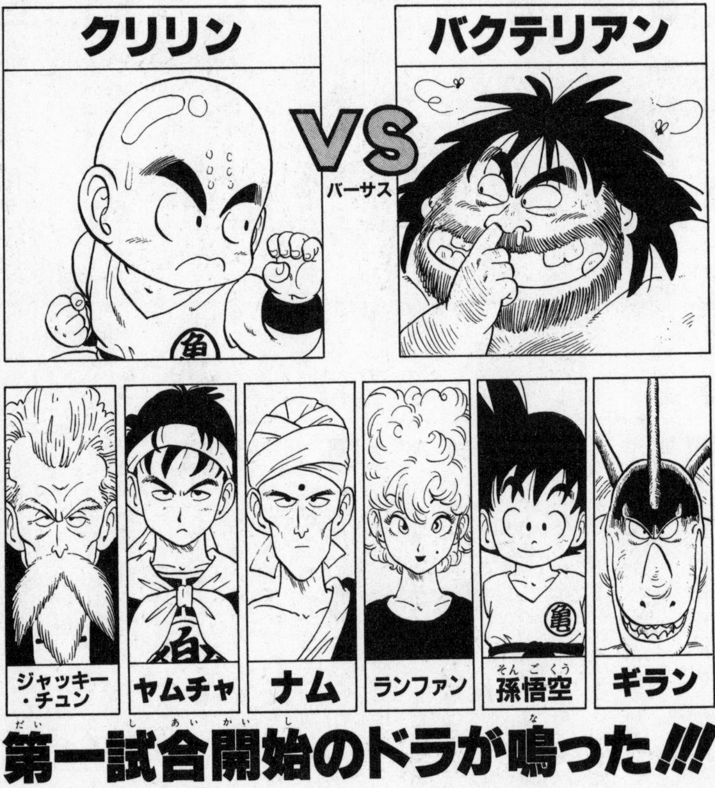

第《だい》一試《し》合《あい》開《かい》始《し》のドラが鳴《な》った!!!

ドラゴンボールやわたくしに
関《かん》することならなんでも
よろしいです。
ジャカスカおハガキ
をくださいまし。

Q 先生《せんせい》、こんにちは。はじめて先生《せんせい》のコミックス（『ドラゴンボール』①）を買《か》いましたが、絵《え》もストーリーも、とってもかわいいので、乙女《おとめ》のわたしも大好《だいす》きになってしまいました。♡

岐阜県《ぎふけん》・秋田育美《あきたいくみ》

A どうもありがとう！ 乙女《おとめ》のかたたち、どんどん好《す》きになってくだされ。

Q 先生《せんせい》のコミックスは全部《ぜんぶ》持《も》ってます。ジャンプも毎週読《まいしゅうよ》んでいます。そこで質問《しつもん》ですが、亀仙人《かめせんにん》さんは『Dr.《ドクター》スランプ』⑰のシブイ神様《かみさま》にサングラスをかけさせて、星《ほし》マークをとっただけじゃないですか？

兵庫県《ひょうごけん》・三好勝也《みよしかつや》

A ゲッ!! スルドイ!! そのとおり!! 神様《かみさま》にサングラスをかけただけなのだ。あのじいさん、けっこう気《き》にいっていたんで、『ドラゴンボール』でも、また使《つか》ったのでした。

Q 鳥山《とりやま》 明先生《あきらせんせい》に質問《しつもん》。①先生《せんせい》は、小学生《しょうがくせい》の頃《ころ》からマンガがうまかったのですか？ ②よくH《エッチ》な話《はなし》（絵《え》）をかくけど、いやらしいんですか？ ③ファミリーコンピュータを持《も》っていますか？ ④これからもがんばってマンガをかいてください。

大阪府《おおさかふ》・児島征宙《こじままさひろ》

A ①まあまあでした。②はい！ ③持《も》ってますが、仕事《しごと》ができなくなるとヤバイので、そんなにはやってません。でも、ウマイんだぞ。④はい、わかりました。ありがとう。

Q あの～、質問《しつもん》があるんですけど…。『ドラゴンボール』とは関係《かんけい》ないけど、『鳥山《とりやま》明○作劇場《あきらマルさくげきじょう》』の第《だい》2巻《かん》は、まだ出《で》ないんですか？ ま…まさか忘《わす》れたのでは…？

大阪府《おおさかふ》・宮本卓也《みやもとたくや》

A 『○作劇場《マルさくげきじょう》』のコミックスは、残念《ざんねん》ながら一冊《いっさつ》にするには、ページがあと45ページ足《た》らないので、2巻《かん》が出《で》る予定《よてい》は、まだありません。読切《よみきり》を45ページぶんかいたら、出《で》ると思《おも》います。

Q 鳥山先生《とりやませんせい》、コンニチハ。サヨウナラ。